少年陰陽師

夢見ていられる頃を過ぎ

結城光流

18492

角川ビーンズ文庫

夢見ていられる頃を過ぎ

少年陰陽師

彰子（あきこ）

左大臣道長の一の姫。強い霊力をもつ。今は藤花と名乗り、脩子の供をしている。

もっくん（物の怪）

昌浩の良き相棒。カワイイ顔して、口は悪いし態度もデカイ。窮地に陥ると本性を現す。

昌浩（安倍昌浩）

十五歳の半人前陰陽師。父は安倍吉昌、母は露樹。キライな言葉は「あの晴明の孫!?」。

六合（りくごう）

十二神将のひとり。寡黙な木将。

紅蓮（ぐれん）

十二神将のひとり、騰蛇。『もっくん』に変化し昌浩につく。

じい様（安倍晴明）

大陰陽師。離魂の術で二十代の姿をとることも。

登場人物紹介

朱雀(すざく)
十二神将のひとり。
天一の恋人。

天一(てんいつ)
十二神将のひとり。
愛称は天貴。

勾陣(こうちん)
十二神将のひとり。
紅蓮につぐ通力をもつ。

太陰(たいいん)
十二神将のひとり。風将。
口も気も強い。

玄武(げんぶ)
十二神将のひとり。
一見、冷静沈着な水将。

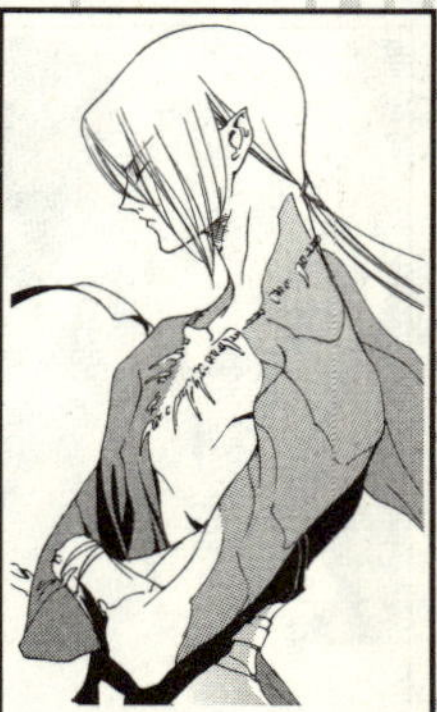

青龍(せいりゅう)
十二神将のひとり。
昔から紅蓮を敵視している。

脩子（ながこ）

内親王。天勅により、伊勢に滞在していた。

安倍昌親（あべのまさちか）

昌浩の次兄。
陰陽寮の天文得業生。

安倍成親（あべのなりちか）

昌浩の長兄。陰陽博士。

小野螢（おののほたる）

播磨、神祓衆の陰陽師。
晴明の父、益材の定めた昌浩の婚約者だった。

夕霧（ゆうぎり）

現影《みかげ》と呼ばれ、神祓衆長の家系につき従う。
螢に付いている。

風音（かざね）

道反大神の娘。以前は晴明を狙っていたが、今は昌浩達に協力。

イラスト／あさぎ桜

少年陰陽師

その差は如何ばかり

だかだかと走りながら、昌浩《まさひろ》は大きく息を吸い込んだ。

「待てーっ!」

間髪《かんはつ》いれずに幾《いく》つもの声が同じ言葉を楽しそうに繰《く》り返す。

「待てーっ!」

昌浩の眉間《みけん》にしわが寄る。

左肩に乗っている物の怪《もののけ》が、左耳をひょこんとあげて息をついた。

「まぁ、あれだ。たまには観客がいるというのも、気合が入っていいというか、なんというかな、と昌浩の頭をぽくぽくと叩《たた》き、物の怪は前方に視線を向けた。

大きな猫《ねこ》か小さな犬ほどの大きさの体軀《たいく》は、全身を真っ白な毛並みで覆《おお》われている。首周りを勾玉《まがたま》のような赤い突起《とっき》が一巡《いちじゅん》し、長い耳と尻尾《しっぽ》が時折揺《ゆ》れる。額に花のような紅《あか》い模様があり、きらめく大きな丸い目は夕焼けを溶《と》かし込んだようだ。昌浩はこの生き物を、物の怪のもっくんと愛称《あいしょう》で呼ぶ。

全力疾走《しっそう》している昌浩の肩の上で器用に均衡《きんこう》を保ちながら、物の怪はちらと背後を顧《かえり》みた。

昌浩の後ろにつき従うように絶妙《ぜつみょう》な速度を保っている妖車《あやかし》の屋形《やかた》の上に、無数の雑鬼《ざつき》たちが観客よろしく整列している。

「ん？　なんだなんだー?」

物の怪の視線に気づいた雑鬼たちが揃《そろ》って首を傾《かたむ》ける。

昌浩は苦虫を噛《か》み潰《つぶ》したような顔でがなった。

「ちくしょー、待てーっ！」

「待てーっ！」

昌浩の眉間のしわが、さらに深くなる。先ほどからずっと昌浩が叫《さけ》ぶたびに、雑鬼たちが反復するのである。苛立《いらだ》つ様子を面白《おもしろ》がってやっているのが昌浩にはわかっているので、反応しないように努めているのだが、眉間のしわは徐々《じょじょ》に増えて深くなっていく。

それを見て、物の怪が小さく肩をすくめた。

いま昌浩は、逃走《とうそう》している妖怪《ようかい》を追っている。

夜な夜な都に出没《しゅつぼつ》しては都人に害をなす妖だ。人死にはまだ出ていないが、夜歩きをしていた貴族の何人かが遭遇《そうぐう》し襲《おそ》われて、ほうほうの体《てい》でなんとか逃《のが》れたということだった。

最悪の事態が生じる前にと妖退治を命じられた昌浩は、ここ数日間連夜東奔西走《とうほんせいそう》し、ようやく発見して追走しているのだった。

別に妖退治はいいのだ。祖父の安倍晴明《あべのせいめい》は稀代《きたい》の大陰陽師《だいおんみょうじ》で、こういった事態の際には必ず頼《たの》みとされる。

しかし、祖父は既《すで》に妖怪の括《くく》りに入るといわれるほど高齢で、妖退治をするには様々な問題がある。昌浩はいわば、晴明の手足。祖父の代わりに実働することは、いろいろと大変ではあるが構わない。構わないのだが。

「頑張れ孫ーっ！」

背後からの声援《せいえん》に、昌浩は思わず立ち止まって振《ふ》り返る。妖車が慌《あわ》てて急停止した。

「孫言うな————っ！」

怒号が轟《とどろ》く。昌浩にとって、これは禁句なのだ。事実なのだが癇《かん》に障《さわ》る。からかいの種にされるのは憤慨《ふんがい》ものだ。

妖車の車之輔《くるまのすけ》が、気遣《きづか》うように車体を揺らす。

憤《いきどお》りも隠《かく》さずに雑鬼たちを睨《にら》みながら、昌浩は肩を怒《いか》らせて物の怪に言った。

「もっくん、車之輔なんだって⁉」

車之輔は昌浩の式《しき》なのだが、いかんせん妖言葉は彼には理解できない。おかげで物の怪の通訳が必要になるのだった。

肩に乗った物の怪が瞬《まばた》きをひとつする。

「申し訳ありません、ですが、雑鬼さんたちがどうしてもご主人の雄姿《ゆうし》を間近で見たいと仰《おっしゃ》られておりまして……、だとさ」

「雄姿ぃ？　お前たちの言葉を俺が素直《すなお》に信じると思っているのか雑鬼ども。いい加減祓《はら》うか？　祓って終わりにするのが精神衛生上一番いいんじゃないのか？　それか、それだ、そうしよう、いやーいい考えだなぁっ」

ところに据《す》えた。

「おい、晴明の孫よ」

「物の怪のもっくんの分際で孫言うなっ!」

「物の怪言うなっ! 大体俺は物の怪じゃないと、いったい何回言わせるんだお前わ!」

「俺だって孫言うなって何度も何度も何度も何度も言ってるだろう！」

　やりあう昌浩と物の怪を車上から見下ろしている雑鬼たちが、ふと視線を昌浩を通り過ぎた
ところに据《す》えた。

　三本角の猿に似た猿鬼《えんき》が、ひょいと指差して目をしばたたかせる。

「なぁ、孫よ」

「孫言うなーっ！」

　くわりと牙《きば》を剝《む》く昌浩に、しかし猿鬼はけろりとしてつづけた。

「後ろ、後ろ」

「は？」

　昌浩と物の怪が同時に振り返る。

　いままさにふたりに襲いかかろうと身構えた妖が、牙を剝いていた。

「うそっ！」

「おわっ、いつの間に！」

　物の怪は咄嗟《とっさ》に昌浩の肩を蹴《け》り、妖に体当たりをしかけた。一丈を超《こ》えようかという巨体《きょたい》の

熊《くま》に似た妖は、胴《どう》を折り曲げるようにして後方に飛ばされる。

身軽な動作で降り立った物の怪は、昌浩を顧《かえり》みて尻尾をひょんと振った。

「大丈夫《だいじょうぶ》か」

「うん、平気」

頷《うなず》いて、昌浩は妖に意識を集中させた。

口喧嘩《くちげんか》をしていて妖に逃《に》げられましたなどという報告を、晴明にするわけにはいかない。恰《かっ》好《こう》が悪すぎる。返り討《う》ちに合って怪我《けが》をしましたなどという報告は、もっと恰好がつかない。

「じい様にはぱっと退治てきましたと涼《すず》やかに報告しないといけないからな。早いとこ片づけない…と……」

視界のすみに何かが掠《かす》めた気がして顔を向け、昌浩はそのまま絶句した。

その隙《すき》に、妖ががばりと身を翻《ひるがえ》して遁走《とんそう》していく。あっという間に見えなくなった妖の影《かげ》を思わず見送ってしまった物の怪が昌浩を見上げると、彼は啞然《あぜん》と棒立ちになっていた。

「…………」

視線の先では、ひとの悪い笑《え》みを浮《う》かべた青年が築地塀《ついじべい》の上に片胡坐《あぐら》を掻《か》いている。

二十《はた》歳《ち》そこそこにしか見えない青年は苦笑《くしょう》しながら肩をすくめると、体重を感じさせない所作でひらりと塀から飛び降りた。

突《つ》っ立ったままの昌浩の前までやってきた青年は、呆《あき》れたように息をつくと、ついと手をのばして昌浩の額を無造作に弾《はじ》いた。

「だっ！」

「ぼうっとするな、ぼうっと。まったく……」

深々とため息をつく青年に、雑鬼たちが口々に声をかけた。

「わー、晴明だー」

「あれか、俺たちと同じく孫の雄姿を見にきたのかー？」

「雄姿というには程《ほど》遠いけど、一応活躍《かつやく》の場は見ておきたいもんだよなー」

言いたい放題な雑鬼たちに、彼は苦笑した。

「不肖《ふしょう》の孫が心配だというわけではないさ。たまには私も出ようと思ってきただけだ。そうしたら、思いがけない場面に遭遇してしまった」

そして、とりあえず傍観《ぼうかん》してみた。

安倍晴明は齢《よわい》八十を数える。だが、稀代の大陰陽師と謳《うた》われる彼の能力と霊力《れいりょく》は桁外《けたはず》れに強大で、扱《あつか》える術も常識の範囲《はんい》外《がい》。いまのように、身体《からだ》から魂魄《こんぱく》を切り離《はな》して年若い姿をとる離魂術もお手の物だ。

額を押さえて唸《うな》っている昌浩を見返して、晴明は腕《うで》を組んだ。そうしてまたもや深々と息をつく。

「……昌浩」

「……はい？」

嫌な予感が胸中に湧《わ》き上がる。反射的に臨戦態勢を取った昌浩に、晴明は片手を額に当てて天を仰《あお》いでみせた。

「私も若い頃《ころ》には失敗もした。それらは良い経験だ。その積み重ねが成長につながるものだからな」

「……そうですね」

「そうして少しずつ前進していく、それが修行《しゅぎょう》。失敗は成功の元ともいうし、失敗のない人生などあるわけはない。なぁ紅蓮《ぐれん》」

突然《とつぜん》振《ふ》られて、物《もの》の怪《け》は半眼になった。

「いきなりくるか」

振った晴明は、物の怪の返しをきれいに流して再び昌浩に向き直った。

「だがしかし、昌浩。迂闊《うかつ》さゆえの失敗は、あまり身にならないと思わないか」

祖父の言葉に、昌浩は引き攣《つ》った顔でなんとか頷いた。

「………そーですね」

「油断大敵、些細《ささい》なことで窮地《きゅうち》に陥《おちい》ることは実にばかばかしい。怪我ならばまだいい、ときをかければ治る。だが、命を落とそうものならそれはただの戯《たわ》けものだぞ」

「お前もあまりひとのこと言えない気がするのは俺だけか」

晴明と昌浩の対話に物の怪が口を挟《はさ》むと、彼らの傍《かたわ》らにずっと隠形《おんぎょう》していた十二神将六合《りくごう》が、同意を示してきた。六合は寡黙《かもく》な男なので、気配が伝わってくるに留《とど》まるのだが。

そうだよなぁとしきりに頷いている物の怪をよそに、晴明はさらにつづける。

「それにだ。せっかく見つけたのに逃げられてしまうようでは、かけた労力の無駄《むだ》だろう。もっと効果的に能率的にと、お前が幼い頃から様々な教えを授《さず》けてきたつもりだったんだがなぁ……」

深々と息をついて肩を落とす晴明の落胆《らくたん》したそぶりに、昌浩は据わった目で渋々《しぶしぶ》応じた。

「…………確かに、そうだったような、気がしないでも、ないかもしれません」

様々な教えを受けたことは事実で、極力無駄のないようにと諭《さと》されたことも本当だ。だから祖父の言はまっとうなのである。

なのであるがだがしかし。

昌浩の口端《こうたん》が、先ほどからひくひくと引き攣っている。

それを見て取った物の怪は、あーあと言いたそうな顔で首の辺りをわしゃわしゃと掻いた。

昌浩にとて言い分はある。何しろあの妖《あやかし》、逃げ足が相当に速いのだ。車之輔に乗って追いかけてもいいのだが、そうすると牛車《ぎっしゃ》の入り込めない細い路地や水路を使って逃走《とうそう》する。今夜はなんとかこの二条大路《にじょうおおじ》に追い込んで直線の追走劇を演じていたのだが、あと一歩のところで取り逃がしてしまった。

しかし、その最大の原因は晴明に気を取られて意識がそちらに向いてしまったことなので、ただいまの昌浩には反論の余地がない。

夕焼けの瞳《ひとみ》を半眼にして、物の怪は晴明を見上げた。

「つーかな、おい晴明。ほんとにお前、なんだってこんなところにいるんだ。天一《てんいつ》や玄武《げんぶ》が一《いっ》緒《しょ》というわけでもないようだし。別にお前が出てこなきゃならないような件でもないだろう」

物の怪の指摘《してき》に、昌浩は周囲の気配を探《さぐ》った。

確かに物の怪の言うとおり、この場にある十二神将の気配は六合のものだけだ。

魂魄の晴明は、霊力が最盛の青年時代の姿を取る。だがやはり魂魄は実体より危《あや》ういので、随身《ずいじん》もつけずに出てくるというのは無用心だ。

「天一と玄武は実体の傍らにいるよ。朱雀《すざく》もな。ほかの者たちは呼べばすぐに馳《は》せ参じてくれるから、まぁいいかと思っただけだ。特に深い意味はない」

すると、それまで隠形していた六合が顕現《けんげん》した。鳶色《とびいろ》の長い髪《かみ》と黄褐色《おうかっしょく》の瞳をした長身の青年は、無表情で口を開く。

「青龍《せいりゅう》と天后《てんこう》からあとで小言と説教を食《く》らうことになるぞ。せめて太陰《たいいん》か白虎《びゃっこ》を供につけておけ」

青龍の名を聞いた物の怪が、ついと目をすがめる。唐突《とうとつ》に不機嫌《ふきげん》そうになった物の怪は、長い尻尾《しっぽ》をぴしりと振《ふ》って口をへの字に曲げた。

「……勾《こう》でも太裳《たいじょう》でも、とにかく随身を連れていろ。お前に何かあったら、大問題だ」

ふたりの言葉に晴明は呆れた様子で息をつく。

「心配性《しんぱいしょう》だな、お前たち。……この安倍晴明に迂闊に手を出せば、どんな報《むく》いがあるかくらい、あらかたの妖は骨身に沁《し》みているさ」

一転して不敵な笑みを宿した口元に、物の怪と六合は一瞬《いっしゅん》視線を交差させた。

確かに。

六合は肩をすくめてそのまま隠形してしまった。物の怪は大仰《おおぎょう》に息をついて両耳をそよがせる。

そんな一同のやり取りを車之輔の屋形《やかた》の上から見ている雑鬼《ざっき》たちは、興味深そうにしてこそこそと会話していた。

「珍《めずら》しいよなぁ、晴明と孫が一緒だなんてさぁ」

「昔晴明があのくらい若かった頃は、しょっちゅう都を駆《か》け回ってたもんだけどな」

「ま、じーさんになっちまったから、昔みたいにはいかないってことか」

「聞こえているぞ、お前たち」

突然《とつぜん》割り込んできた晴明の声に、雑鬼たちは思わず飛び上がった。

見れば晴明が、腕《うで》組みをして斜《はす》に見上げてきている。

「いや、その……えへへへへ」

雑鬼たちはそろそろと顔を見合わせて、ばつの悪そうな顔で笑った。

晴明は特に気分を害したふうもなく、肩をすくめて昌浩を顧《かえり》みる。

苦虫を百万匹ほど嚙《か》み潰《つぶ》したような渋《しぶ》い顔をしている末孫の表情に、晴明は小さく苦笑《くしょう》した。

まったくこの孫は、幼い頃から考えていることがすべて顔に出るので、ついついおちょくってしまう。反応が楽しくて仕方がないのだ。

とうの昌浩はというと、せり上がってくる百万語を喉《のど》の奥で押しとどめるのに精《せい》いっぱいの様子で、晴明のあたたかな眼差《まなざ》しには気づいていない。

そんなふたりを彼らの足元から見上げている物の怪は、呆《あき》れ気味に息をついた。

「…………、！」

ふいに、物の怪の目許《めもと》に険が宿った。

それまでのほほんとした風情《ふぜい》だった物の怪のまとう気配が緊迫《きんぱく》したものに変わる。

がたんと音を立てて車之輔が車体を揺《ゆ》らした。

屋形の雑鬼たちが振り落とされそうになって慌《あわ》ててしがみつく。

「え？」

異変に気づいた昌浩が車之輔を振り返ったのと、物の怪の全身から緋色《ひいろ》の闘気《とうき》が噴《ふ》き上がるのとは同時だった。

小さな異形《いぎょう》の姿が、瞬《まばた》きひとつで長身のたくましい体軀《たいく》になり変わる。その刹那《せつな》に彼らめがけて飛びかかってきた妖怪《ようかい》の咆哮《ほうこう》が轟《とどろ》いた。

耳をつんざく響《ひび》きに昌浩は反射的に身を翻《ひるがえ》す。

「紅蓮⁉」

晴明の肩の向こうに、祖父よりさらに長身の姿を見出《みいだ》した昌浩は、燃え上がる真紅《しんく》の炎蛇《えんじゃ》が大きくのびあがる様に目を見開いた。

炎に照らされた四足の妖が牙《きば》を剝《む》いている。

「失《う》せろ！」

紅蓮の炎が瞬く間に妖を取り巻き焼き尽《つ》くす。

風に散じた灰が見えなくなった頃、紅蓮はおもむろに振り返った。

「ありがとう、紅蓮」

薄《うす》く笑う晴明と啞然《あぜん》としている昌浩を交互《こうご》に見た紅蓮は、深く息をついた。

晴明は妖の接近に気づいていたのに昌浩は気づけなかった。

そんな些細なところにも、彼らの実力の差が見えるのだ。その差は恐《おそ》ろしいほど大きい。

昌浩は晴明の後継《こうけい》と謳《うた》われているが、その素質はまだ完全に開花していない。先は長そうだ。

「……しっかりしてくれよ、晴明の孫」

「孫言うなっ、物の怪の分際でっ！」

「この姿のときは紅蓮だとお前は何度言えばわかるんだっ！」

物《もの》の怪《け》の本性《ほんしょう》は、十二神将のひとり、火将騰蛇《とうだ》だ。十二神将最強の凶将《きょうしょう》である彼は、白い異形の姿に苛烈《かれつ》すぎる神気を封《ふう》じ、晴明の麾下《きか》を離《はな》れて昌浩の許《もと》についているのだ。紅蓮という名は、ずっと昔に安倍晴明が与《あた》えたものだ。彼はその名を形なき至宝と呼ぶ。

「大体なぁ！　……ちっ」

言い募《つの》ろうとした紅蓮は、ふいに舌打ちをして物の怪の姿に立ち戻《もど》った。晴明が自分に向けける、さも面白《おもしろ》そうだと言わんばかりの視線に気づいたからだ。

口元に指を当てて笑いを嚙み殺している青年は、昌浩の与える影響《えいきょう》で紅蓮が変わっていくことを好ましく思っているようだった。

だがその視線は、気まずいというか、妙《みょう》に居心地《いごこち》の悪い気分になる。

低く唸《うな》っている物の怪から昌浩に視線を移し、晴明は唇《くちびる》を引き結んだ。

「……あれくらい気づけないようでは、まだまだだな、昌浩」

昌浩はぐっと詰《つ》まってうつむいた。ぐうの音も出ない。

「戻ったらいちからすべてさらいなおしだ。心して修行《しゅぎょう》に励《はげ》むようにな」

孫の額を再びぱしっと弾《はじ》いて、晴明はひらりと身を翻すと、そのまま掻《か》き消えた。

安倍邸《てい》に置いてきた実体の許に帰ったのだ。

しばらく沈黙《ちんもく》していた昌浩は、やがて全身をふるふると震《ふる》わせて口を開いた。

「あぁぁぁぁんのぉぉぉぉ……っ」

未熟なのは重々承知しているが、腹立たしいことこの上ない。大体、祖父が突然出現しなければあの妖《あやかし》をぱぱっと退治できていたはずだったのである。

「あーあー、やっぱりまだまだなんだなぁ、晴明の孫」

「孫言うな！」

雑鬼に怒鳴《どな》り返し、昌浩は大音声《だいおんじょう》を張り上げた。

「いまに見ていろ、くそ爺《じじい》――――っ！」

「……あーあ…」

轟く怒号を聞きながら、物の怪は深々と大仰にため息をつくのだった。

少年陰陽師

鳴神の行方

ここ数日、毎日のように落雷《らくらい》がある。

「あ、また鳴ってる」

陰陽寮《おんみょうりょう》で雑務に追われていた昌浩は、突然生じた暗雲の中に走る白い亀裂《きれつ》を目に留めた。

「あっちだと……六条《ろくじょう》のあたりかなぁ？」

首を傾《かし》げる昌浩の足元にいた物の怪《もののけ》が、ひょいと直立して片前足を上げ、遠くを見はるかす仕草をした。

「んー、かな？　めぼしい貴族の邸《やしき》はなかったと思うが……」

雷だけで、雨はないのだ。

物の怪は助走をつけずに昌浩の肩に飛び乗った。

「貴族の連中は、菅公《かんこう》の祟《たた》りじゃないか、て言ってるんだって？」

できあがったばかりの暦《こよみ》を手にしている昌浩は、それを見ながら頷《うなず》いた。

「うん。昨日じい様のとこに来たお使いの方がそう言ってたよ」

その貴族の邸には、おととい落雷があったのだ。藤原《ふじわら》一門の者はいまでも菅原道真《すがわらのみちざね》を恐れているのだろう。

昌浩の祖父安倍晴明は稀代《きたい》の大陰陽師《だいおんみょうじ》である。朝廷《ちょうてい》の貴族たちは凶事《きょうじ》が起こった際、必ずと言っていいほど晴明に助けを求めるのだ。

「晴明の奴《やつ》は、特に気にしてないみたいだったけどなぁ」

暗雲を眺《なが》めながら瞬きをする物の怪は、白い尻尾《しっぽ》をひょんと振《ふ》った。

大きな猫《ねこ》か小さな犬ほどの体軀をした物の怪は、全身を真っ白な毛並みに覆《おお》われている。長い耳は後ろに流れ、首周りを勾玉《まがたま》に似た赤い突起《とっき》が一巡《いちじゅん》し、額に花のような紅《あか》い模様がある。大きな丸い目は夕焼けをそのまま切り取ったように鮮《あざ》やかな色だ。

「でも、まぁ……」

ふと、物の怪は細目になった。

「自分に関係ないから気にしてない、ということもあるからなぁ」

「えっ」

思わず声を上げた昌浩が立ち止まる。はっと周囲を見渡《みわた》して誰《だれ》も聞いていないことを確かめると、昌浩は声をひそめた。

「もっくん、それって……」

物の怪は目を見開いて昌浩を一瞥《いちべつ》した。

「おいおい、気づいてなかったのか？」

安倍晴明は、自室で脇息《きょうそく》に寄りかかり、げんなりとしていた。

ここのところひっきりなしに貴族たちから使いが差し向けられ文《ふみ》が届けられる。

曰《いわ》く、邸の屋根に落雷があった。

曰く、牛車《ぎっしゃ》の屋形《やかた》に閃光《せんこう》が掠《かす》めて焦《こ》げたようなにおいが漂《ただよ》った。

曰く、牛飼い童《わらわ》が稲妻《いなずま》に打たれて意識不明の重体となった。

曰く、夢に菅公が悪鬼《あっき》のごとき形相で現れて、怨嗟《えんさ》の唸りを吐《は》き出した。

「……いくらなんでも、そりゃ単に夢見が悪いだけではないのかのぅ」

遠雷が響く。

開け放たれた蔀《しとみ》の向こうを見やって、晴明はふうと息をついた。

貴族たちの間では菅公の祟り説がまことしやかに語られているようだ。確証もないのに、菅公の祟りを鎮《しず》めてくれという依頼まで舞い込んできた。

別に菅公の祟りではない。が、これ以上騒《さわ》ぎが長引くと、安倍邸は益々《ますます》駆《か》け込み寺の様相を呈《てい》してくるだろう。晴明は平穏《へいおん》な生活を営みたいと思っているので、日々無数の使いが訪《おとず》れる現状は好ましくないのであった。

腕を組む晴明の背後に、顕現《けんげん》する気配があった。

不機嫌《ふきげん》そうな様子の十二神将青龍が、眉間《みけん》にしわを刻んで晴明を見下ろしている。

晴明より頭ふたつ近く高い位置にある双眸《そうぼう》は夜の湖のような深い蒼《あお》だ。

目許《めもと》にかかる青みがかった前髪《まえがみ》を鬱陶《うっとう》しげにしながら、青龍は口を開いた。

「調伏《ちょうぶく》するか」

蒼い瞳《ひとみ》が暗雲を一瞥する。

晴明はしばし考えるようにして顎《あご》に指を当てた。

「……いや」

ついと目をやって、何もない空間に呼びかける。

「六合、昌浩たちは戻ったか？」

それまで隠形《おんぎょう》していた十二神将六合が、片胡坐《あぐら》を掻いた姿勢で音もなく顕現した。

あまり感情の映らない無表情の神将は、黄褐色《おうかっしょく》の瞳をついと流す。

「先ほど戻ったようだ。呼ぶか」

「ああ」

六合はふいと隠形した。それを見ていた青龍の眉間に、さらなるしわが刻まれる。

怒気にも似た色が精悍《せいかん》な相貌《そうぼう》に刻まれていくのに、晴明は気づいていた。が、何も言わずに孫の到着《とうちゃく》を待っている。

ややあって、足音が聞こえた。

青龍はちっと舌打ちをするとそのまま隠形した。

青龍の姿が見えなくなるとほぼ同時に妻戸《つまど》が開き、昌浩と物の怪が顔を出した。

「じい様、お呼びだそうですが」

座るように促《うなが》されて、すみから持ってきた円座《えんざ》の上に腰《こし》を下ろす。

物の怪は昌浩の隣《となり》にお座りをした。彼らの背後に、気をつければかすかに感じられる程度の微量《びりょう》な神気が漂っている。六合が隠形しているのだ。

居住まいを正す昌浩に、晴明は暗雲を示した。

「あれなのだがな」

晴明の視線を追った昌浩は、ああ、と諒解《りょうかい》した顔をした。そろそろお呼びがかかる頃《ころ》かと思っていたので、驚《おどろ》きはない。

「ちと貴族どもが騒いでおる。お前、あれを都から追い払《はら》ってこい」

「暗雲を、ですか？」

「違《ちが》う違う。あの中におる……、なんじゃ、昌浩や。気づいとらんかったのか」

昌浩が苦虫を嚙《か》み潰《つぶ》したような顔になった。

彼はまだまだ半人前で力不足なので、こういうときにはそれが浮《う》き彫《ぼ》りにされる。

「あれはな、ら」

「待ってください、じい様」

祖父の言をさえぎって、昌浩は毅然《きぜん》と言った。

「ちゃんと自分で原因まで突《つ》き止めて、それで追い払ってきます」

何がどうだから「追い払う」になるのかは、まだわからないが。

晴明は目をすがめていたが、やがてしきりに頷いてにやりと笑った。

「そうか」

「はい」

何でもかんでも祖父頼《だの》みではいつまで経《た》っても追いつけない。言われたことをやるだけではなくて、自分で動けるようにならなければ。

では早速《さっそく》出発することにしよう。

立ち上がって部屋を出て行く昌浩を、晴明は呼び止めた。

「待て」

「はい？」

晴明は隠形している六合に手にした檜扇《ひおうぎ》の先を向けた。

「六合、すまんが昌浩について手助けをしてやってくれ」

「え？　大丈夫《だいじょうぶ》ですよ、もっくんもいるし」

「もっくん言うな、晴明の孫」

据《す》わった目で反論されて、昌浩の目もまた据わる。

「孫言うな、物の怪の分際で」

「俺は物の怪と違うっ」

ふたりのやり取りを聞いていた晴明は、実はかなり前から思っていたことを口にしてみた。

「ときに、昌浩や」

「なんですか」

舌戦《ぜっせん》を一時中断して顧《かえり》みてくる十三歳の孫に、老人は生真面目《きまじめ》な顔で言った。

「その、孫言うな、というのは、どういう意味で言っておるのかの」

「……………っ」

意表を衝《つ》く、とはまさにこのことだ。

言葉を失う昌浩に、晴明は滔々《とうとう》とつづける。

「じい様の孫と呼ばれるのが、それほどに嫌か、嫌なのか」

「あ……、その」

しどろもどろになった昌浩を、物の怪《もののけ》は目をしばたたかせて静観している。

ここでそういう指摘《してき》が来るとは思っていなかったのだろう。昌浩はもごもごと口の中で何かを並べているようだが、言葉になって出てこない。いつも無意識に言っていることだから、なおさらだ。

が、確かにとうの晴明の前で「孫言うな」と言うのは、本人にしてみたらどういう意図なのか大いに気になるところではあるだろう。

しかし、晴明のことだから昌浩の意図などお見通しのはずだ。それをわざわざ言うということとは、実はそれなりに寂《さび》しかったり傷ついていたりしたのかもしれない。

言葉に詰《つ》まって目を泳がせている昌浩をじと目で眺《なが》めていた晴明は、軽く息をつくと持っていた檜扇を開いて顔の下半分を隠《かく》した。

しかし、目許は見えているわけで、昌浩に向けられるじとっとした視線は変わらない。

昌浩は口をへの字に曲げた。

別に「晴明の孫」が嫌なのではない。「晴明の孫」と呼ばれるのが嫌なのである。

「じい様……」

弁解するために口を開きかけたとき、比較的近い場所に落雷《らくらい》があった。

どどーん、という叩《たた》き落とすような独特の轟音《ごうおん》が木霊《こだま》する。

はっとして簀子《すのこ》から天を振《ふ》り仰《あお》ぐと、いつもはもっと遠くに漂《ただよ》っている暗雲が、かなり近くに浮かんでいた。大内裏《だいだいり》よりももう少し西のほうだが、あの辺りには貴族の邸《やしき》が多いはずだ。

しばらく様子を見ていると、雷鳴は少しずつ遠退《とおの》き、暗雲に時折走る稲光《いなびかり》も数を減らしていった。

風に流されたと思うにはいささか速い暗雲の速度である。距離《きょり》があるからまだよくわからないが、物の怪や晴明の言うとおり、ただの雲ではないようだ。

「おい、昌浩」

物の怪が目を瞠《みは》って落雷のあったほうを指し示す。その延長線上を追った昌浩は、一筋の煙《けむり》が上がっているのを認めた。

火の手が上がっている。落雷で火災が起こることはごくまれにある。そのせいか。

いずれにしても、様子を見にいって原因を探《さぐ》らないといけない。

昌浩は晴明を振り返った。

「じい様、俺行ってきます」

「うむ」

顔の下半分を扇《おうぎ》で隠したまま頷《うなず》く晴明に一礼して、昌浩は部屋を飛び出した。

残された晴明は檜扇を閉じ、いささか渋《しぶ》い顔をした。

「じい様の孫は嫌なのかのぅ」

と、それまで隠形《おんぎょう》していた十二神将の幾人《いくたり》かが姿を見せる。

「なんだ晴明、お前らしくもない」

傍《かたわ》らに顕現《けんげん》した玄武が不遜《ふそん》に腕を組んで晴明を見下ろした。

「あれは昌浩のこだわりであって、他意があるわけでもないだろう。そこをあげつらうのはいかがなものかと我は進言する」

昌浩よりもずっと幼い子どものなりをした玄武は、しかし尊大な口調でずばずばと言ってのけた。

「玄武の言うとおりです。昌浩様がひどく困っていらしたではありませんか」

玄武の後にやんわりとつづける天一は、優《やさ》しげな風貌《ふうぼう》に憂《うれ》いをほんの僅《わず》かににじませている。

晴明はううむと唸《うな》って、閉じた檜扇で肩を軽く叩いた。

「こだわりなのはわかっとるが、わしとしてはちと寂しい。幼い頃は、じいさまじいさまとわしのあとをてけてけとついて回って、それはそれは素直《すなお》なよい子であったものを」

玄武は嘆息《たんそく》した。

よい子であったものを、と言いながら、晴明の顔は過去を懐《なつ》かしんでいるわけでは決してない。

明らかに現在進行形である。文句を言いながらも晴明の言いつけはちゃんと守って実行するのだから、実際よい子に違いない。

「晴明、あまり孫で遊ぶな」

呆《あき》れ半分の玄武に、晴明は至極《しごく》真面目な顔をする。

「何を言うか。わしは常に大真面目じゃ」

どこがだ、という玄武の反論は、彼の胸のうちだけに響《ひび》いた。

ふと、天一が首をめぐらせる。彼女の向いた先にそれまで隠形していた青龍が顕現した。

「晴明」

「ん？」

「あれはどうする」

青龍が示すのは、稲妻《いなずま》を生んでいる暗雲だ。

「昌浩に任せる。まぁ、紅蓮も六合もついておることだし、大事にはいたらんだろう」

主《あるじ》の言葉を受けた青龍は、剣呑《けんのん》な表情で黙《だま》り込むと、ちっと舌打ちして再び隠形した。

青龍が立っていた箇所《かしょ》を見て、晴明はやれやれと肩をすくめた。

紅蓮がからむことに、青龍は常に嫌悪《けんお》と敵意を隠さない。それなりの理由があるのだから仕方ないのだが、それにしても。

「いつもいつもあんな険しい顔をして、青龍は疲《つか》れんかのぅ」

年老いた主の疑問に、玄武と天一はあえて無言をとおした。


陰陽寮に出仕しているときは髷《まげ》を結《ゆ》って烏帽子《えぼし》が必須《ひっす》だが、祖父の命を受けたり自発的に化け物退治に赴《おもむ》くときは、できるだけ身軽なほうがいい。

動き回るときの烏帽子は邪魔《じゃま》の代名詞なので、こういう夜警の折には髷をといて首の後ろでひとつに括《くく》るようにしていた。

その髪《かみ》が、疾走《しっそう》する昌浩の動きに合わせてはねている。

そろそろ日も暮れて暗くなってきたので知人に行き合うことはそうそうないだろうが、油断は禁物だ。

並走している物の怪が視線を向けてきた。

「……浮《う》かない顔してるなぁ」

「別に」

返す言葉と表情が合っていない。昌浩は苦いものを含《ふく》んだような、叱《しか》られるのを恐《おそ》れているような、そんな顔をしていた。

反射的に言ってしまった言葉が祖父を傷つけてしまったかもしれないということが、先ほどからずっと胸の中で澱《おり》のように凝《こご》っている。

帰ったら、ちゃんと謝らないといけないと思う。だが、いつもの調子でやり込められそうな気がして仕方がない。

何しろ晴明は古だぬきだ。

「しっかりしろよ、晴明の孫」

物の怪が発破をかけてくる。

「ま…っ、……うるさい」

条件反射で出かけた言葉を呑《の》み込んで、昌浩は険しい顔で物の怪を一瞥《いちべつ》した。それに対しての物の怪は駆《か》けながら器用に肩をすくめただけだ。

ところで、黄昏《たそがれ》時とは逢魔《おうま》ヶ時と呼ばれる。この平安の都には異形《いぎょう》のものが多数棲息《せいそく》していて、夜の訪《おとず》れとともに活発に動き出すのだ。

昼は人間が我が物顔で闊歩《かっぽ》している大路小路に、夕暮れとともに妖《あやかし》の影《かげ》が忍《しの》び寄る。人間は妖怪変化《ようかいへんげ》に恐れをなしながら、息をひそめて朝を待つ。

しかし、昌浩は知っている。

都に棲《す》まうごくごく一般《いっぱん》的な妖どもは、怖《こわ》くもなんともない奴《やつ》らばかりだと。

「あっ、孫だ――――！」

どこからかやけに上機嫌《じょうきげん》な声が聞こえた。

同時に無数の妖気《ようき》が群がり寄ってくる。

危険を察知した物《もの》の怪《け》が高く跳躍《ちょうやく》するのに遅《おく》れて昌浩もまた方向転換《てんかん》しようとしたが、遅《おそ》かった。

「わ――――――い！」

「ふぎゃっ」

どっと降ってきた雑鬼《ざっき》の群れに潰《つぶ》されて、昌浩の姿が見えなくなる。かろうじて、のばされていた手だけが覗《のぞ》いていたが、あとからあとからわいて出てきては山に群がる雑鬼たちに隠《かく》されて、やがて見えなくなってしまった。

着地した物の怪はそれをしばらく無言で眺《なが》めていた。山が時折ゆさっと動く。中から脱出《だっしゅつ》を試みているのだろう。だが、重さはほとんどなくてもあれほどの雑鬼たちに群がられると、なかなか体の自由も利《き》かないに違《ちが》いない。

「うう、いつものようにいつものごとく、実に不憫《ふびん》な……」

そっと目許《めもと》をぬぐう物の怪の隣《となり》に、無表情の中に呆れがにじんでいる様子の六合が顕現した。

「あ、式神」

三本角の猿鬼が六合を見て声を上げる。六合は構わず近づくと、腕を無造作に山の中に突《つ》っ込み、昌浩の襟《えり》を摑《つか》んでずぼっと引きずり出した。

発掘《はっくつ》された昌浩は、雑鬼たちを睨《ね》めつけた。

「お前らいつもいつも、ひとのことをなんだと……っ」

苦りきる昌浩に、一糸乱れぬ大合唱が返った。

「それはもちろん、晴明の孫っ」

昌浩の目許が険しくなる。それのせいでいま自分は胸の奥が妙《みょう》に重いのだ。

黙りこんだ昌浩の様子に、いつもとは違うものを感じ取って、一本角の一《ひと》つ鬼《き》が丸い体を傾《かたむ》かせた。

「おやぁ？　どうしたんだ、晴明の孫」

「機嫌《きげん》悪そうな顔してるなぁ」

一つ鬼の隣に並んだ三つ目の蜥蜴《とかげ》に似た竜鬼《たつき》が目をしばたたく。

六合に下ろしてもらった昌浩は、自分に注がれる興味深そうな視線を見返した。

「こんな扱《あつか》いを受けて喜ぶほうがおかしいだろうが」

「何言ってんだ、親愛の証《あかし》だって」

けろりと笑う猿鬼をじとっと睨んで、昌浩は息をついた。

深刻に物思いにふけることもできない。そんな自分は実は結構不幸なのかもしれない。

ふいに、遠雷《えんらい》が聞こえた気がした。

無意識に天を仰《あお》ぐ。

それまで影も形もなかったはずの暗雲が、頭上に厚く垂れ込めていた。

「いつの間に……っ⁉」

稲妻《いなずま》が雲を裂《さ》いた。同時に雷鳴が轟《とどろ》く。驚《おどろ》くほど重々しい音が耳朶《じだ》を打ち、昌浩は身構えた。

それまでさして感じられなかった妖気が、雷鳴とともに広がっていく。そこにいる雑鬼たちのものではない、新手だ。

暗雲の中から、それは放たれている。

何かが雲の中に潜《ひそ》んでいる。

雑鬼たちが瞬《また》く間に後退《あとずさ》って距離《きょり》を取った。

「孫ー、俺たち見物するからなー」

「なー」

猿鬼の語尾《ごび》を全員が繰《く》り返す。

昌浩は渋面《じゅうめん》でそれを聞いていたが、稲妻のあとに雷鳴が轟くまでの間隔《かんかく》が短くなっているのに気づいた。

頭を振《ふ》って気持ちを切り替える。

昌浩の足元に移動した物の怪が、剣呑な目で暗雲を睨んだ。

「……くるか」

六合が物の怪に一瞥を投げかけ、そのまま天に視線を向ける。常に無表情を崩《くず》さない彼の目許に、険しいものが浮かんだ。

天を裂くような稲妻が駆け抜《ぬ》ける。間をおいて響《ひび》いた雷鳴が鼓膜《こまく》をつんざいた。

「あれは……?」

目を凝《こ》らした昌浩が低く呟《つぶや》く。雲の中に、何かの影が蠢《うごめ》いた気がした。

その言葉に呼応するように、暗雲を突き抜けるようにして、突然巨大《とつぜんきょだい》な火達磨《ひだるま》が生じた。

それはまっすぐ昌浩めがけて落ちてくる。風を切って落下する火達磨が、突如《とつじょ》として猛々《たけだけ》しい唸《うな》りを上げた。

「吼《ほ》えた!?」

瞠目《どうもく》する昌浩の叫《さけ》びに火達磨の咆哮《ほうこう》が重なる。

物の怪の瞳《ひとみ》が激しくきらめいた。白い体が真紅《しんく》の闘気《とうき》に包まれる。小さな姿が輪郭《りんかく》を変え、長身のたくましい体躯《たいく》になり変わり、掲《かか》げた腕《うで》に炎《ほのお》の渦《うず》が絡《から》まるようにして出現した。

「はっ！」

放たれた炎蛇《えんじゃ》が大きくうねって火達磨に突進《とっしん》する。

炎蛇が嚙《か》みつく寸前で火達磨が身をよじらせた。炎が拡散して見たことのない獣《けもの》が姿を現す。

獣は昌浩を凝視《ぎょうし》すると、宙で体勢を立て直して天に翔《か》け上がった。

腹の底に響くような唸りが雷鳴に重なって轟く。獣の視線は半ば呆然《ぼうぜん》と見上げてくる人間の子どもに注がれた。

鋭《するど》い眼《め》が激しく光った瞬間《しゅんかん》、暗雲から昌浩めがけて雷が落とされる。

息を吞んだ昌浩の眼前に、夜色の霊布《れいふ》が広がった。視界を覆《おお》う布が、叩《たた》き落とされた雷を跳《は》ね返して四方に拡散する。

「わあっ！」

どこに落ちるか予測のつかない雷に、雑鬼たちは悲鳴を上げながら蜘蛛《くも》の子を散らすように逃《に》げ惑《まど》った。

築地塀《ついじべい》の陰《かげ》や水路の中に身を隠した雑鬼たちは、こわごわ様子を窺《うかが》いながら抗議《こうぎ》してきた。

「ひとに迷惑《めいわく》をかけるのはよくないぞ式神ー！」

「孫を守るためなら俺たちはどうなってもいいというのかー！」

口々に訴《うった》える雑鬼を睥睨《へいげい》し、紅蓮は金色の瞳に険を宿した。

「当たり前だろうが」

紅蓮や六合にとっては昌浩を守るのが最優先事項だ。傍観《ぼうかん》しているだけの雑鬼たちがどうなろうと、知ったことではない。

「なんて横暴な！」

竜鬼の嘆《なげ》きを黙殺《もくさつ》し、紅蓮は六合と並んで獣を睨んだ。

「紅蓮、あれ、なに」

陰に隠されるようになっている昌浩が、長身のふたりの間から獣の様子を窺っている。

獣の攻撃《こうげき》に備えながら、紅蓮は短く答えた。

「雷獣《らいじゅう》だ」

雷獣は、普段《ふだん》都からは遠く離《はな》れた山中に棲息《せいそく》しているものだ。雷雲に乗ってやってくることは稀《まれ》にあるが、雲が消えればいずこかに戻《もど》っていく。

「昌浩、お前は出るな」

「え？」

調伏《ちょうぶく》するための術を仕掛《しか》けようとしていた昌浩は、思いがけない紅蓮の言葉に目を見開いた。

「なんで？　追い払《はら》わないと……」

「あれは人間によくない生き物だ」

異形《いぎょう》や妖はおおむね人間に害をなすものなのだが、普段の妖退治の折に紅蓮はそんなことは言い出さない。

「よくない、て……」

どんな、と言いかけた昌浩のうなじに、ふいに氷の手が触《ふ》れたような感覚があった。

六合と紅蓮がはっと息を呑《の》む。

暗雲を背景にして宙に留《とど》まっている雷獣が、突然威嚇《とつぜんいかく》の唸りを上げた。

昌浩が振り返るのとほぼ同時に、まったく別の方角から稲妻が放たれる。

雑鬼《ざっき》たちが色を失って言葉にならない悲鳴を上げた。雷はひとの動きよりも速い。

「孫――――！」

しかし、落雷に当たる寸前で、紅蓮が昌浩を突《つ》き倒《たお》した。

「わっ！」

転げた昌浩に六合の霊布がかぶせられる。

轟くような雷鳴が鼓膜をつんざいた。それを掻《か》き消すように、凄《すさ》まじい神気が迸《ほとばし》る。

昌浩は霊布を剝《は》ぎ取り慌《あわ》てて跳ね起きた。

「紅蓮、六合！」

通力を全身にまといつかせたふたりが戦闘《せんとう》態勢に入っている。彼らの目線を追った昌浩ははっと息を呑んだ。

暗雲を背負い、二頭の雷獣が宙に留まって互《たが》いを睥睨していた。放たれる妖気《ようき》は二頭分に増え、獣の全身から生じる放電が時折火花を散らしているのが見える。

紅蓮と六合は、落とされた雷を通力の奔流《ほんりゅう》を叩きつけて相殺《そうさい》したらしい。紅蓮の放った灼熱《しゃくねつ》の闘気がくすぶっているのが感じられた。

「二匹《ひき》いたのか」

雷獣たちはお互いに威嚇の唸りを上げている。

「奴《やつ》らは、仲間意識なんてあるのかな」

「あまり聞いたことはないな」

昌浩の疑問に答えたのは六合で、紅蓮は剣呑《けんのん》な目を雷獣に据《す》えたまま、無言で何かを考えているらしい。

夜色の霊布を摑《つか》んで立ち上がり、昌浩は妖怪《ようかい》たちの様子を窺った。

雷獣同士は互いに威嚇しあっていた。全身に放電しているような光をまとい、低く唸っている。

一方が雄叫《おたけ》びを上げた。

稲妻が駆《か》け抜け、雷獣の全貌《ぜんぼう》を浮《う》かび上がらせる。影《かげ》になってしまうので、体毛の色は判然としない。七尺近い体長、二本の前足に対し、後足は四本ある。猪《いのしし》のような長い牙《きば》を具《そな》え、鋭《えい》利《り》な爪《つめ》は透《す》きとおる水晶《すいしょう》のようだ。

天を駆けて突進していく雷獣に、もう一方が応戦した。

稲妻が放たれる。

身をよじってそれを蹴散《けち》らした雷獣は、同族をぎっと睨《にら》んで全身から閃光《せんこう》を発する。光は瞬く間に凝縮《ぎょうしゅく》され、敵めがけて打ち出された。

稲妻に酷似《こくじ》した光撃を、一方の獣が全力で打ち返す。閃光が雷と化し、四方八方に飛び散って、邸の塀や屋根、路《みち》の表面や並木の柳《やなぎ》に向けて降り注いだ。

「わぁっ！　わぁっ！」

「熱い熱いっ」

「しびれたー！」

逃げ遅れて害《がい》をこうむった雑鬼たちが口々に悲鳴を上げた。

落雷にあった邸の屋根から白煙《はくえん》が上がる。妖気の起こした風にあおられて、生まれた炎が見る見るうちに大きくなった。

「まずい、火事になる！」

昌浩は慌てて印を組んだ。

「紅蓮、六合、雷獣たちを撃退してくれ」

「わかった」

答えたあとで紅蓮は周囲を一瞥《いちべつ》した。そして舌打ちをする。

獣の咆哮とつづけざまに落とされる雷に、不審《ふしん》と恐怖《きょうふ》を感じた都人たちが恐《おそ》る恐る様子を窺いに集まってくる気配がある。どこの世界にも命知らずの野次馬《やじうま》は存在しているのだ。

「昌浩、それをかぶって顔を隠《かく》しておけ」

霊布を指す紅蓮の言葉に、昌浩は問うような視線を六合に向けた。

「そうしろ」

六合にも促《うなが》されて、昌浩は夜色の布をかぶって、邪魔《じゃま》にならないように器用に形を整えた。

落雷に打たれて火の手の上がった邸では、徐々《じょじょ》に火勢が増している。住人が騒《さわ》ぎ出している声を聞きながら、火防の呪文《じゅもん》を記憶《きおく》の底から掘《ほ》り出した。

「あつさえも、ちぢのちまたにのけふして……」

研《と》ぎ澄《す》まされた霊力《れいりょく》が落雷に引き起こされた炎《ほのお》を徐々に鎮《しず》めていく。

火事だと騒ぐ住人の声が高くなった。ついで、水をかける音が響《ひび》く。

昌浩はほっと息をついた。これでもう心配ないだろう。

雷獣の咆哮《ほうこう》が木霊《こだま》する。

「行け！」

怒号とともに紅蓮の腕からのびあがる炎蛇が、雷獣めがけて飛びかかった。

突然《とつぜん》の攻撃に虚《きょ》を衝《つ》かれた雷獣が、争いをやめてさらなる高みに翔《か》け上がる。

炎の追撃から逃《のが》れた雷獣たちは、高みから昌浩たちを悠然《ゆうぜん》と見下ろした。

「くそ…っ！」

忌々《いまいま》しげに唇《くちびる》を噛《か》む紅蓮の横で、六合が剣呑に目を細めている。彼らは天を駆ける術《すべ》を持たないので、空に逃れられてしまうと手出しができない。

「騰蛇、白虎か太陰を呼ぶか」

抑揚《よくよう》のない六合の声に、紅蓮は思案する風情《ふぜい》を見せた。

白虎と太陰は十二神将風将だ。風を操《あやつ》り、大空を自在に駆けることができる。

どちらかがいれば彼らの通力を駆使《くし》して雷獣と対峙《たいじ》することが可能だ。

雷獣は雷を放つ。獣《けもの》の放つ妖気と毒気は人間に悪影響《あくえいきょう》を及《およ》ぼし、悪ければ死に至らしめることもあるという。

昌浩は雷獣を見据えた。

神将たちの力も及ばないような空で、二頭の雷獣はいがみ合っているようだ。ここ数日の落雷は、ひょっとしたら奴らの小競《こぜ》り合いの副産物だったのだろうか。

そう口にすると、紅蓮と六合が顔を見合わせた。

「……小競り合いか…?」

連日のように都に雷を落とし、暗雲の中にまぎれて移動しながらことあるごとにぶつかり合っていたのだとしたら、小さないさかいという括《くく》りには既《すで》にできないと思うのだが。

物言いたげな紅蓮と同様に、寡黙《かもく》な六合もさすがに目許《めもと》に何かしらの感情が浮かんでいた。

しかし昌浩はそれを意にも介《かい》さず、上空で死闘《しとう》を繰《く》り広げては稲妻《いなずま》を出し合う二頭の動きを目で追っている。

「なんとかして、引きずりおろすとかできないかな……」

「ばか。さっきから近寄ったら毒気に当てられると言ってるだろうが」

間髪《かんはつ》いれない紅蓮の言葉に、昌浩ははたと気づいた。

「あ、そうか」

自分の身の安全はきれいに抜《ぬ》け落ちていた。

「危《あや》ういなぁ。しっかりしてくれよ、晴明の孫」

「孫言うなっ」

条件反射で言い返し、昌浩は改めて雷獣《らいじゅう》を見上げる。

紅蓮が言うのだから、毒気云々《うんぬん》は事実なのだろう。何せ物凄《ものすご》く長生きの十二神将だ。

では、接近せずに倒す方法は。

昌浩の頭の中で、物心ついてからの修行《しゅぎょう》の日々が駆け抜け、叩《たた》き込まれた術の知識が総動員される。

晴明は追い払えと言った。完全に調伏《ちょうぶく》しなくてもいいと。だが、人間に害が及ぶなら後顧《こうこ》の憂《うれ》いを断《た》つべきではないだろうか。

「なんとかして、近づかずに倒せる方法を、えーと……」

手を頭に当てて、昌浩は真剣《しんけん》に考える。

紅蓮と六合は昌浩の決断がなされるのを、とりあえず黙《だま》って待つことにした。先ほど撃退しろと言われたが、この距離《きょり》では手の出しようがない。

衝突《しょうとつ》を繰り返していた雷獣の一方が、地上の昌浩たちを一瞥した。

獣の眼《め》がぎらりと輝《かがや》く。

「────────!」

咆哮の轟《とどろ》きに雷鳴が重なった。

放たれた雷が空を裂《さ》きながら叩き落とされる。

紅蓮の全身から緋色《ひいろ》の闘気《とうき》が迸《ほとばし》った。

「舐《な》めるな!」

闘気の渦《うず》が落雷とぶつかりあい、見事に威力《いりょく》が相殺される。かすかな放電光の残像は瞬《また》く間に掻《か》き消えた。

が、雷号までは消せない。衝撃《しょうげき》で発された轟音《ごうおん》が昌浩の鼓膜《こまく》をつんざく。

雷獣たちは忌々しげに地上を睨むと、再び咆哮した。

二頭分の鳴き声が木霊する中、雷獣は暗雲の中に身を隠し、そのまま唐突《とうとつ》に消失した。

あっけない退場劇に、紅蓮と六合は咄嗟《とっさ》に反応できなかった。

「……素早《すばや》いな」

感嘆《かんたん》したように呟《つぶや》く六合に、紅蓮はそうだなと素直《すなお》に頷《うなず》く。

一方の昌浩は、何がおきたのかを一瞬《いっしゅん》理解できず呆然《ぼうぜん》とした。

「……あ、あれ？　え、なに、逃《に》げた？　あれだけ攻撃《こうげき》してきたくせに、いきなり消えるってどういうことだ⁉」

混乱のあまりに考えていることが全部口に出ている昌浩に、紅蓮があさってを見ながら言った。

「まぁ……こういうことも、たまさかある」

遠くから、野次馬たちが接近してくる声がした。

「大体もっくんが！」

「俺か⁉　俺のせいか⁉」

「ぼうっと見送ったのはもっくんと六合じゃないか！　なんで逃げてくのをあっさり見送ったんだよ！」

「頑張って考えているから、じゃあその答えを待ってやろうと俺たちはあくまでもお前の意思を尊重してたんだっ」

「言い訳は見苦しいっ！　物《もの》の怪《け》の分際で！」

「俺は物の怪じゃない！　というかそもそもここで物の怪云々《うんぬん》は関係ないだろう！」

ぎゃおぎゃおと舌戦《ぜっせん》を繰り広げている昌浩と物の怪を、傍《かたわ》らに片胡坐《あぐら》で座している六合は静かに眺《なが》めていた。

第三者のような顔をしている六合だが、彼とて雷獣を取り逃がしたことに関与《かんよ》しているのだ。実際彼は、無表情の下で己《おの》れの失態を責めていた。あくまでも胸中で。

雷獣は、人間は悪影響を受けてしまうため退けることが困難だ。が、十二神将たちは獣の妖《よう》気《き》や毒気を受けてもさほど問題ない。だから晴明も紅蓮のほかに六合をつけたのである。

それは単純に、複数いるからという理由だったのだろう。紅蓮だけでも心配はないだろうが、念のため六合もつけておけばそうそう大変な事態になったりはするまい。

という晴明の意図もむなしく、紅蓮と六合という闘将《とうしょう》ふたりがついていながら雷獣二頭をあっさり逃がしてしまったのだ。これは、弁明の余地がない。

式も飛ばさずに彼らの帰りを待っていた晴明は、すごすごと帰邸した昌浩の様子に目を丸くし、かくかくしかじかでついうっかり見送ってしまいましたという説明を受けたときには口を開けてしばらく何も言わなかった。

そのあとで、とにかく雷獣について調べるために塗籠《ぬりごめ》に押し込んである書巻や文献《ぶんけん》をあさっていた昌浩は、腹立ちまぎれに物の怪に当たった。物の怪は応戦した。

そしていまにいたる。

「大体なぁ！」

憤然《ふんぜん》と肩を怒《いか》らせて、物の怪はくわりと牙《きば》を剝《む》いた。

「あれだけぎゃおぎゃおどんぱちやって小競り合ってる雷獣がなんの前触《まえぶ》れもなく逃げ出すなんて思わんっ！」

ここで六合は、小競り合いか、と不審《ふしん》げに眉《まゆ》を寄せた。小競り合いと評するには少々規模が大きかったと思われるのだが。先ほど騰蛇自身も同じ感想を抱《いだ》いていたはずだが、それはどこへ行ってしまったのだろうか。

だが、あえて指摘《してき》する必要もないので、六合は相変わらず沈黙《ちんもく》してその発言を流すことにした。

「だったら俺の答えなんて待ってないで紅蓮と六合でぱぱっとやっつけちゃえばよかったじゃないかっ」

それは確かにそうだった。

六合は無言のまま昌浩にこっそり同意した。そして、それをあえてしなかった自分を省《かえり》みた。

「むっ」

さしもの物の怪も絶句した。まったくもってそのとおりである。

苦虫を百匹《ぴき》単位で嚙《か》み潰《つぶ》したような顔で低く唸《うな》っている物の怪に、六合は同情的な視線を向けた。

彼らにも一応言い分はあって、雷獣たちは彼らの力の及《およ》ばない場所でいがみ合っていた。倒《たお》すにしても退けるにしても、攻撃の有効な距離に引きずり下ろす必要があった。が、物理的にその方法がなかったので、手出ししたくてもできなかったのである。

まだ夜明けまでは間がある。昌浩は暗視の術を使っているので灯りがなくても問題はない。真っ暗の塗籠で昌浩の姿は闇《やみ》にまぎれ、物の怪の夕焼け色の瞳《ひとみ》だけが爛々《らんらん》と輝いているように見えるだろう。それはそれでなかなか怖《こわ》い光景だ。

文献をぱらぱら繰《く》りながらそんなことを考えた昌浩は、不機嫌《ふきげん》そうな様子で眉間《みけん》にしわを寄せた。

晴明に謝る時機を逸《いっ》してしまった。帰ったら詫《わ》びようと思っていたのに、撃退《げきたい》もしくは調伏《ちょうぶく》失敗の衝撃で、それどころではなかった。

「一応退けたことになったりは……」

険しい声音《こわね》に物の怪が首を振《ふ》った。

「いや、まだ近場にいる。落雷の危険が完全に回避《かいひ》されるには、奴《やつ》らを都からはるか遠い地に追いやるか、調伏するかだな」

文献をめくる手をとめて、昌浩は物の怪と六合を交互《こうご》に見やった。

「奴らの妖気が近くにある？」

物の怪は六合を一瞥《いちべつ》した。寡黙《かもく》な同胞《どうほう》は目で応じるだけだ。

「近くというわけじゃない。ただ、妖気が風に乗ってかすかに漂《ただよ》ってるんだ。これも極端《きょくたん》に遠けりゃ届かないもんだからな」

姿は見えないまでも、妖気が流れてくるだけの位置に留《とど》まっているということか。

持っていた文献を睨《にら》んで低く唸る。雷獣《らいじゅう》の退治法などやはり載《の》っていない。誰《だれ》かに訊《き》かなければならないか。

「……………やっぱり……」

呟いて、しかし慌《あわ》てて首をぶんぶん振った。

自分で全部やると啖呵《たんか》を切ったのだ。ここで降参するのはあまりにも癪《しゃく》ではないか。

紅蓮や六合がしきりに雷獣に近づくなといっているということは、それだけの危険があるということだろう。ならば、結界か何かに毒気もろとも雷獣を封《ふう》じてしまうというのはどうだろうか。

「封じたあとで調伏するとか、人里離れた山奥に持っていってもらうとか」

物の怪はふむふむと頷いた。

現時点ではまだ人死には出ていないらしい。被害《ひがい》が最小限のうちに事態を収束させないと、要請《ようせい》された晴明の名にも傷がつく。

こんなことなら最初から風将のどちらかを伴《ともな》っていくのだったと、物の怪は嘆息《たんそく》した。

どちらかと言っても太陰は自分と同行することを嫌《きら》うだろうから選択肢はないのだが。

白虎がいてくれれば対空戦力としてかなり役に立ってくれたはずだ。それに、風将がいれば紅蓮や六合も風で天に押し上げてもらうことができたのである。

「しまったな、いろいろと失念していた」

遁走《とんそう》する雷獣を見送ってしまったり、失態つづきだ。あとで晴明に呼び出されて小言を食《く》らってもおかしくない。

晴明は物《もの》の怪《け》を信頼《しんらい》して昌浩を任せてくれているのだ。それを裏切るようなことはあってはならない。

「とにかく」

文献を閉じて、昌浩は立ち上がった。

「仕切りなおしだ。今度こそ雷獣どもをなんとしてでも追い払う」

それも、できれば今夜中に。

では、と六合が口を開いた。

「白虎に協力を頼《たの》もう」

「ああ、それがいいな。あと、可能だったら天一か玄武もいたほうがよさそうだ」

あとをつなぐ物の怪の意図がいまいちわからず、昌浩は訝《いぶか》しげに首を傾《かたむ》ける。

ひょいと立ち上がった物の怪は、長い尻尾《しっぽ》をひょんと振った。

「毒気から守ってもらうにしても、雷獣を閉じ込めるにしても、天一か玄武の結界術があったほうがいい」

「あ、なるほど」

十二神将中、天空《てんくう》、太裳、天一、玄武の四人は攻撃《こうげき》の術を持たない。その代わり、彼らの結界は他《ほか》の神将たちが築く守りの壁《かべ》とは比べ物にならない防御《ぼうぎょ》力を誇《ほこ》る。結界を打ち破るために結界をぶつけるといった芸当も可能だ。

「でも、それってじい様に頼まないとだめだよね？　じい様の式神《しきがみ》なんだし……」

「うーん、どうかなぁ？　同胞への頼みだから晴明を介《かい》する必要もないかもしれんがなぁ」

片前足を頭に当てて唸る物の怪を抱き上げて、昌浩は言った。

「そうかもしれないけど、筋は通さないとね。もっくんだって、自分の知らないところで話が進んでたら嫌になったりしない？」

「そういうのとも違《ちが》う気がするが……。まぁ、お前がそうしたいならそうしろ」

「うん、そうする」

「だが、晴明が寝《ね》てたらどうする」

そんなことは絶対にないと物の怪はわかっているのだが、万が一ということもある。彰子《あきこ》もそうなのだが、晴明は昌浩が夜警に出ると無事に戻《もど》ってくるまで必ず起きているのだ。

「あ」

物の怪の指摘に昌浩は目を見開いた。

既《すで》に寅《とら》の刻を回っているはずだ。こんな真夜中に突然《とつぜん》尋《たず》ねていくのは迷惑《めいわく》かもしれない。

「……事後承諾《しょうだく》でもいいかなぁ」

散々悩《なや》んだ末の昌浩の言葉に、物の怪はあっさり返した。

「いいんじゃね？」


神将には基本的に睡眠《すいみん》は必要ない。

紅蓮と六合の招請《しょうせい》を受けた白虎と玄武とともに、昌浩は暗雲を追っていた。

雷獣のひそむ暗雲は、常に都の上を滞空している。

雷獣と何度か行き合ったことがあるという白虎によれば、奴らは縄張《なわば》り意識と自己主張の激しい妖《あやかし》だということだった。

「雷を落とすのも、相手に対する威嚇《いかく》と能力の誇示《こじ》だな。これだけの強さを自分は持っているのだから、負けを認めてとっとと失《う》せろと、互《たが》いに主張しているわけだ」

二つの暗雲は少しの間見えなくなっていたが、先頃《さきごろ》から都の南方に出現し、雷鳴を響《ひび》かせていた。

「あのまま都の上空から追い出して、それで調伏するか」

暗雲を追う昌浩に併走《へいそう》していた物の怪が、長い耳をそよがせる。

「白虎、お前の風で追い込めるか」

「やってみよう」

頷《うなず》く白虎の傍《かたわ》らにいる玄武がつづける。

「ついでに、竜巻《たつまき》で二匹《ひき》とも地上に叩《たた》き落とせ。我の波流壁《はりゅうへき》で閉じ込める」

「わかった」

たくましい体軀《たいく》の白虎が、体重のないもののように瞬《また》く間に飛翔《ひしょう》していく。

白虎の起こした風を受けながら、昌浩は感心したように目を瞠《みは》った。

「いまさらだけど、飛べるっていいなぁ」

風将だけの特権のようなものだ。

「だが」

玄武が渋《しぶ》い顔をする。

「白虎はともかく、太陰の風は荒《あら》っぽい。飛べるのも善し悪《あ》しだ」

「確かにな」

物の怪だけでなく、無言の六合も同意を示していた。

激しい突風《とっぷう》が生じた。風の中に神気が混じっている。白虎の起こした風だ。

風に押し流された暗雲が徐々《じょじょ》に南下していく。

暗雲の中から二頭の雷獣が躍《おど》り出た。

風上に白虎の姿がある。突如《とつじょ》として攻撃してきた敵の姿を捉《とら》えて、雷獣たちの咆哮《ほうこう》が轟《とどろ》いた。

数条の稲妻《いなずま》が同時に放たれる。

「白虎！」

昌浩の叫《さけ》びが雷鳴に掻《か》き消された。

傍らに灼熱《しゃくねつ》の闘気《とうき》が迸《ほとばし》る。視界のすみに長身の体軀が見えた。

昌浩が振り返ると同時に、紅蓮の生み出す真紅《しんく》の炎蛇《えんじゃ》が大きくのびあがった。

白虎の風に押された暗雲は低い位置まで下がってきている。いまならば、紅蓮の炎が雷獣たちに届く。

「食らえ！」

怒号とともに放たれた炎蛇が、大きくあぎとを開いて片方の獣《けもの》に飛びかかった。

燃え盛る炎の蛇に四肢《しし》を搦《から》めとられた雷獣は、怒《いか》りに任せて稲妻を立てつづけに打ち落とした。

白い閃光《せんこう》が天を裂《さ》くようにして地上に突き刺さる。

ひっきりなしの轟音《ごうおん》に昌浩の耳はおかしくなった。近くの音がよく聞こえない。

「くそっ」

「昌浩、下がれ」

玄武が彼の前に出る。聞こえなくてもその仕草で言っていることが理解できた。

玄武が胸の前で両手を合わせるようにすると、仄白《ほのじろ》い水の波動が集約した。水音によく似た澄《す》んだ響きが広がり、周囲に不可視の壁を創生する。

それを確認《かくにん》して、上空の白虎が雷獣《らいじゅう》たちめがけて竜巻を叩きつけた。

二頭分の悲鳴が響く。

炎蛇に絡《から》みつかれた一頭がなす術《すべ》もなく地表に叩き落とされた。路《みち》のほぼ中央に落下した雷獣は、炎と稲妻をまといつかせながら足掻《あが》いている。

もう一頭はなんとか堪《こら》え、上空に停滞《ていたい》したまま白虎と対峙《たいじ》した。

「玄武、雷獣を閉じ込めてくれ」

懐《ふところ》の奥から出した数珠《じゅず》を摑《つか》む昌浩に頷いて、玄武は水の波動で獣を取り巻き、動きを封《ふう》じて押さえ込む。

結界の内部に捕縛《ほばく》された雷獣は、激昂《げきこう》して吠《ほ》え立てた。

全身にまとっていた炎蛇を妖力で粉砕《ふんさい》し、内部から結界を破ろうと雷を幾度《いくど》も放つ。

その閃光をもろに見た昌浩は、目をしばたたかせて光の残滓《ざんし》をやり過ごした。

「往生際《おうじょうぎわ》の悪い……」

数珠を持った手で印を組み、昌浩は叫んだ。

「オン、アビラウンキャン、シャラクタン！」

霊力《れいりょく》がきんと音を立てて立ち昇る。研《と》ぎ澄まされた力が印に集まっていった。

「ナウマクサンマンダ、センダマカロシャダ、ソワタヤウン、タラタカン、マン」

一方、空に残った雷獣に、白虎の鎌鼬《かまいたち》が襲《おそ》いかかっていた。

四肢を切り刻まれた雷獣が苦悶《くもん》の唸《うな》りを上げながらも応戦している。

咆哮が天をつんざいた。暗雲がばっと四散し、それを作り出していたであろう妖力もすべて、眼前の敵めがけて放たれる。

さしもの白虎も衝撃を流しきれなかった。鈍《にぶ》い衝撃にぐっとうめく白虎の喉笛《のどぶえ》めがけ、雷獣の牙《きば》が突きこまれる。

「させるか！」

地上の紅蓮が怒号した。両腕《りょううで》に絡んだ絹布《けんぷ》が大きく翻《ひるがえ》り、生み出された無数の炎蛇が獣の腹部を貫《つらぬ》き通す。

断末魔《だんまつま》の絶叫《ぜっきょう》が駆け抜けた。

雷獣はぐらりと傾《かたむ》くと、そのまま地表に落下し、どうと音を立てて砂塵《さじん》を舞《ま》い上げた。

六合の銀槍《ぎんそう》がひらめき、雷獣の腹部を一文字に切り裂いた。妖気《ようき》と体液が飛び散る。振りまかれた毒気を、待ち構えていた玄武が水の結界に封じ込んだ。

身動きできなくなった雷獣たちの耳に、昌浩の詠唱《えいしょう》する呪文《じゅもん》が届いた。

二頭の獣が目を剝《む》き、最後の足掻きを見せた。

満身創痍《まんしんそうい》の全身から放たれる雷がばちばちと音を立て、己《おの》れを捕《と》らえる神気の壁《かべ》を破らんと暴れまわる。水の結界がかすかにたわみ、玄武の顔に剣呑《けんのん》なものがにじんだ。

「くそ……っ」

低いうめきを掻き消すように、昌浩がとどめの呪文を叫ぶ。

「万魔拱服《ばんまきょうふく》――――!」

清冽《せいれつ》な霊力が形なき鉾《ほこ》となり、二頭の雷獣を粉砕し、かもし出す毒気と妖力も掻き消した。


じゃらりと数珠が鳴る。

昌浩はやれやれと息をついた。

都を出て決着をつけようと思っていたのに、羅城門《らじょうもん》にたどり着く前に戦闘《せんとう》がはじまってしまった。

幸いこの辺りまでくれば住民は少ない。だが、不測の事態が起こって都人を巻き込まない保証はないのだ。

信条は人知れず任務遂行《すいこう》。誰《だれ》かに見られればいろいろと厄介《やっかい》なことになるし、痛くない腹を探《さぐ》られるようなことになる場合もある。陰陽師《おんみょうじ》はいろいろと大変なのだ。

数珠を首にかけてこめかみを押さえるようにして、昌浩は渋い顔でひとりごちた。

「じい様だったら、もっと手際《てぎわ》よくやれるんだろうなぁ……」

それこそ、神将たちの手をわずらわせることなく、鮮《あざ》やかなまでにあっさりと、片づけてしまえるのだろう。

自分の未熟さを痛感して、昌浩は深々と息をついた。

白虎がひらりと降りてきた。

「すまない、手間をかけた。二頭一緒《いっしょ》に叩《たた》き落とそうと思ったんだが」

「奴《やつ》らも死に物狂いだったろうからな、仕方ない」

雷獣の妖気と毒気が完全に消えたかを注意深く確認していた紅蓮が同胞《どうほう》を顧《かえり》みる。

玄武と六合も頷《うなず》いた。

「結界に閉じ込めてからも抵抗《ていこう》が激しかった。無傷だったら結界がもったかどうか保証がない」

「それは、すごいな」

珍《めずら》しく驚《おどろ》きを隠《かく》さない六合が軽く目を瞠る。玄武は幼い風貌《ふうぼう》に似合わぬしわを眉間《みけん》に刻んだ。

「雷は水を貫きやすいのだ」

そうなのか、と昌浩は驚いた。知らなかった。いつか何かの役に立つかもしれないから、忘れないようにしておこう。

心の雑学帳に記している昌浩の隣《となり》で、紅蓮が不審《ふしん》げに眉《まゆ》をひそめて周囲を見渡《みわた》した。

それに気づいた六合が目をしばたたかせる。

「騰蛇、どうした」

「……ちょっとな」

答える紅蓮の目許《めもと》から険しさが消えない。

雷獣を二頭とも仕留めたというのに、まだ油断するなと本能が警告しているのだ。

「六合よ」

目を向けてくる同胞に、紅蓮は注意深く意識を研ぎ澄ませながら言った。

「雷獣以外に、何かの気配を感じるか？」

「いや、特には……」

問うような視線を白虎と玄武にも滑《すべ》らせる。ふたりとも心当たりはないといった風で首を振った。

「そうか……」

ならば、思い過ごしか。

そう結論づけようとした瞬間《しゅんかん》、紅蓮の直感を引っかくものがあった。

ほぼ同時に、昌浩のうなじにひやりとしたものが生じる。背筋を冷たい指に似たものが這《は》い上がり、反射的に天を振り仰《あお》いだ。

刹那《せつな》、凄《すさ》まじい咆哮《ほうこう》とともに激しい稲妻《いなずま》が夜闇を裂いた。

雷光に浮かび上がる獣がいる。先ほど倒《たお》した雷獣たちと同じ姿の、しかしそれより一回り大きな。

ぎらぎらと輝《かがや》く両眼《りょうめ》に憎悪《ぞうお》をみなぎらせた雷獣は、牙を剥いたかと思うと空を一気に駆け下りてきた。

一回り大きく、昌浩たちに明確な殺意を向けてくる雷獣。ということは、どう考えてもあれは。

「親とか、兄弟とか、そういう間柄《あいだがら》か⁉」

焦《あせ》る昌浩に答えたのは六合だった。

「体格から考えて、親だろう」

「放つ雷の威力《いりょく》も雲泥《うんでい》の差だしな」

うんうんと頷きあう紅蓮と六合に、白虎がいささか呆《あき》れた様子だ。

「お前たち、やる気はあるのか？」

彼の隣にいる玄武がしかつめらしい顔をする。

「なるほど、先の雷獣たちのあれは、兄弟喧嘩《げんか》だったのか」

昌浩は呆気《あっけ》に取られた。

ということは、雷獣の兄弟喧嘩でここ最近の都は害《がい》をこうむって、貴族たちはやれ菅公の祟《たた》りだなんだと震《ふる》えあがっていたのか。

「……ひと騒《さわ》がせな…」

苦りきる昌浩に、いつの間にか湧《わ》いていた雑鬼たちの無責任な声援《せいえん》が飛んだ。

「もうひと踏ん張りだー」

「頑張れよ、晴明の孫――！」

轟《とどろ》く雷鳴《らいめい》を打ち消すように、昌浩の怒号が響《ひび》いた。

「だから孫言うな――っ！」


手のひらのしたで大きなあくびをした彰子に、十二神将天一が気遣《きづか》うように目を細めた。

「姫《ひめ》、そろそろお休みになられては……」

無意識のあくびをごまかすように、彰子は居住まいを正して笑顔《えがお》を作る。

「大丈夫《だいじょうぶ》よ。……あ、また」

先ほどやんだと思っていた雷が、南の空でまた鳴っている。閃光《せんこう》が駆け抜けてから間をおかず、ひときわ大きな雷鳴がこの辺りにまで聞こえてきた。

「昌浩はいま、あの雷のしたにいるのかしら」

「ええ、おそらくは」

菅公の祟りだという雷の本当の原因を探りに行ったのだと聞いている。物《もの》の怪《け》や六合たちも一緒だというから、それほど心配する必要はないはずだ。

でも、彰子は小さい頃《ころ》から雷があまり得意ではない。早くこの騒ぎが治まってくれることを願うばかりだ。

「このお邸に雷が落ちるなんてことは、ないわよね？」

恐々《こわごわ》尋ねる彰子に、天一は穏《おだ》やかに微笑《ほほえ》んだ。

「ご心配なく。鳴神《なるかみ》はこの地を素通《すどお》りいたしますから」

ならいいんだけれど、と息をつく彰子に、天一は笑みをさらに深くした。

一方、自室で南天の様子を窺《うかが》っていた晴明は、苦笑《くしょう》混じりに目を細めた。

「油断大敵と送ってやろうかのぅ？」

そろそろ雷獣《らいじゅう》退治も収束に向かっている。十二神将四人で雷獣三匹《びき》を相手にするというのは、いささか大がかりだった感が否《いな》めない。

「もう少し手際よくならんとなぁ」

用意した料紙に筆を走らせている晴明の傍《かたわ》らで、青龍が不機嫌《ふきげん》そうに険しい顔を見せている。

「晴明、とっとと休め」

冷え冷えとした青龍の声音《こわね》をそ知らぬ顔で聞き流し、文《ふみ》を書き終えた晴明は料紙を折って形を作り、口の中で呪文《じゅもん》を唱えた。

鳥に転じた紙片《しへん》が飛び立っていく。

瞬間、この夜最大の雷が都はずれに落ちた。

いくつかの神気が爆発《ばくはつ》して、最後に迸《ほとばし》った霊力《れいりょく》が終幕を伝える。

「やれやれ」

晴明はほうと息をついた。

終わったらしい。まったく、神将たちがついているから大丈夫だと思っていても、やはりはらはらしてしまう。

まだまだ心配で仕方がない。

「晴明、俺は先ほどから何度も何度もさっさと休めと言っている」

そのたびにそれを受け流していた晴明だが、さすがにそろそろ雷の落ちそうな気配を感じていた。

雷獣退治は終わったというのに、鳴神はこちらに移ってきてしまったようだ。

「――晴明」

凄《すご》みを増した青龍の唸《うな》りに肩をすくめた晴明の耳に、はるか彼方《かなた》から孫の怒声《どせい》が聞こえた気がした。

「ほ…?」

老人は軽く目を見開いて、それから薄《うす》く苦笑した。

だから最短距離を

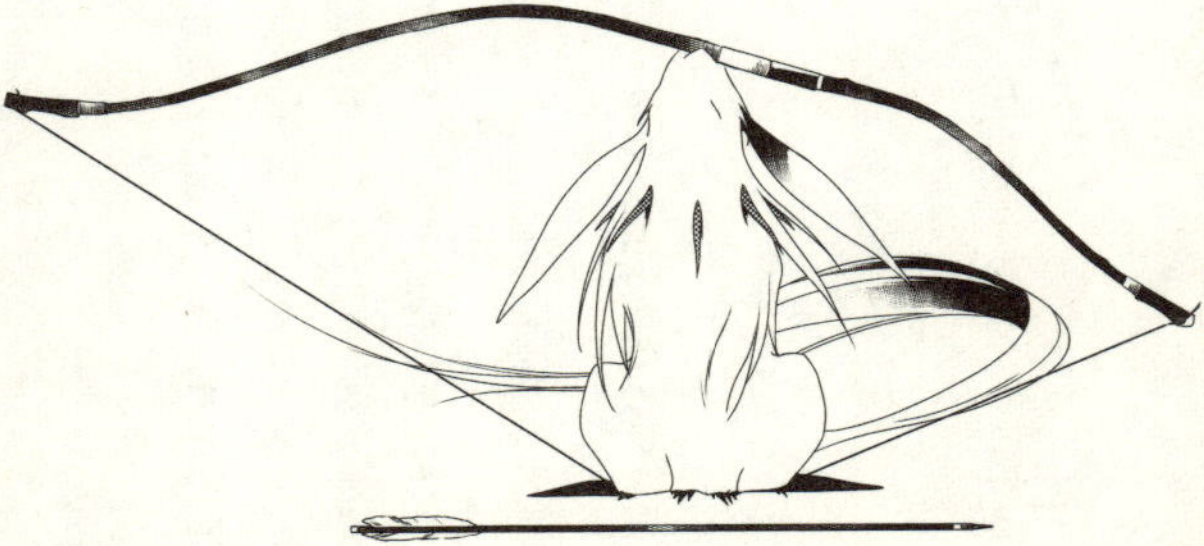

稀代《きたい》の陰陽師《おんみょうじ》安倍晴明は、齢《よわい》八十に程《ほど》近い。

都に棲《す》まう雑鬼《ざつき》たちには、そろそろ妖《あやかし》の括《くく》りに入るべきだと言われているが、当人にそのつもりはないらしい。

何しろ、まだまだ半人前の末孫を、後継《こうけい》として教え育てなければならないのだ。やるべきことはたくさんある。うかうか老《ふ》け込んでもいられないし、よぼよぼしている暇《ひま》もないのだろう。

「……が、いくらなんでも八十近い御歳《おんとし》であれほど元気《げんき》溌剌《はつらつ》なのは、やはり異形《いぎょう》か妖の括りだと言われても仕方ないだろうなぁ」

実家である安倍邸《てい》に向かう道すがら、安倍成親《なりちか》は軽く息をついた。

彼には弟がふたりいる。

このほど、年の離《はな》れた下の弟が元服《げんぷく》することに相成った。

数えで十三歳の元服は、貴族社会全体から見れば遅《おそ》い部類に入る。出世競争の激化している

このご時世、できるだけ早く大人の階《きざはし》を駆《か》け上がらせたいのが親の心情だ。

そんな中で、末弟《まってい》の昌浩は比較的のんびりしていた。

ようやく元服だということで、さて何を祝いに贈《おく》ろうかと妻と相談していた成親の許《もと》に、奇《き》

妙《みょう》な噂《うわさ》が舞《ま》い込んできたのはごく最近のことだ。

それを確かめるべく、彼は久しぶりに実家に足を向けているのだった。

結婚《けっこん》と同時に出た実家は、いまでは他人の家のような顔で成親を出迎《でむか》える。彼が帰るべき家はもうここではないのだからそれもまた当然なのだが、ほんの少し寂《さび》しいなと思わなくもない。

それでも、家族たちの顔を見れば、やはりここも自分の家なのだと安堵《あんど》する。帰れる場所がたくさんあるのは、幸せなことなのだ。

久しぶりに顔を見せた長男に、母は驚《おどろ》きつつも嬉《うれ》しそうだった。

ひとしきり近況《きんきょう》報告をすませて、成親は昌浩の部屋に向かう。

「昌浩、入るぞ」

声をかけてから妻戸《つまど》を開くと、あげた蔀《しとみ》の近くで床《ゆか》一面に書物や巻物を広げていた昌浩が、目を丸くした。

「兄上、いつ来たんですか」

「つい、いまし方な。それにしても……、結構な惨状《さんじょう》だなぁ」

散らかり放題の部屋をぐるりと見渡《みわた》して苦笑する成親に、昌浩はばつの悪い顔で口をへの字に曲げた。

手近に散乱していた書物を申し訳程度に片づけて、兄に円座《えんざ》を勧《すす》める。

「悪いな」

腰《こし》を下ろす成親の視界のすみを、そのとき白い影《かげ》が掠《かす》めた。

「ん…？」

何気なく視線をめぐらせた成親は、奇妙な異形を認めて目をしばたたかせる。

白い異形だった。体軀《たいく》は小さな犬か大きな猫ほどで、全身を覆《おお》う真っ白い毛並みはやわらかそうだ。長い耳は後ろに流れて、首周りを赤い勾玉《まがたま》に似た突起《とっき》が一巡《いちじゅん》している。額に花のような模様があり、大きな丸い目は紅《あか》かった。

「………」

自分に向けられた紅い目を見返しながら、彼は無言の下《もと》で考えた。

ここは安倍晴明の邸だ。昌浩が幼い頃《ころ》、入り込んできた異形に池に突き落とされかけたことがあり、それ以来敷地《しきち》を取り囲む結界がほどこされるようになった。

成親が幼かった頃は雑鬼たちが庭といわず邸といわず入り放題だった。成親と、彼の上の弟である昌親《まさちか》の異形妖に対する耐性《たいせい》は、物心つく以前からごく近くに存在していた雑鬼たちによって育《はぐく》まれたところが大きかった。

「………」

祖父の結界は健在だ。へたな異形は入り込めないはずなのである。なのになぜ、こんな妖がここにいるのだろうか。

異形が、ひとつ瞬《まばた》きをした。何気ない仕草に、成親はどういうわけか全身が総毛立つほどの畏怖《いふ》を覚えた。気がつけば、背中にびっしょりと冷や汗《あせ》をかいている。

「……まさか…」

低く呟《つぶや》いた成親を見ていた異形は、ふいと顔を背《そむ》けると、彼の横をぽてぽてと通り過ぎた。

「あれ、どこ行くの、もっくん」

「もっくん言うな」

昌浩の言葉に、異形は不機嫌そうに言い返す。首だけをこちらに向けて、異形は顎《あご》をしゃくった。

「晴明のところだ。兄弟で積もる話もあるだろう、邪魔《じゃま》しちゃ悪いからな」

「別に邪魔じゃないよ？」

異形は成親を意味ありげに一瞥《いちべつ》し、肩をすくめて歩き出す。

「じゃあな、成親」

人間だったら手を振《ふ》るところだが、異形は長い尻尾《しっぽ》をひょんひょんと揺《ゆ》らしながら出て行った。

それまで沈黙《ちんもく》していた成親は、目を剝《む》いて末弟を振り返った。

「おい昌浩、いまのは…っ」

「え？　あれは物《もの》の怪《け》のもっくん」

「じゃ、ないだろう！　あれは…」

昌浩は頭をかりかりと掻《か》いた。

「あ、そうか。兄上は神将たちを知ってるんだ。うん、十二神将の騰蛇だけど、あの姿のときは物の怪のもっくん」

「もっ…」

度肝《どぎも》を抜《ぬ》かれて言葉がつづかない成親である。

あれが、あの騰蛇とは。いったい何ごとだ。

誰《だれ》か訳知りの神将に問いただすべきだろうかと本気で悩《なや》む成親に、昌浩は勢い込んで言った。

「そんなことより。兄上、ほんとにいいところにきてくれた」

横に集めた書物を幾《いく》つか取り上げ、書面を広げる。

「おぼつかないところが結構あって。教えてください」

成親は瞬きをした。

「わざわざ俺に訊《き》かなくとも、おじい様か父上に訊けばいいじゃないか。稀代の大陰陽師と天文博士に直接教えを乞《こ》える機会なんてそうそうあるもんじゃない」

「父上は仕事で疲《つか》れてるし、じい様に訊くのは、嫌なんです」

ふくれ面《つら》をする昌浩をまじまじと見て、成親は息をついた。

「まぁ、俺でわかることだったら教えてやるが」

「ありがとう兄上、助かる。えーと…」

しかつめらしい顔をして書面をめくる昌浩に、成親は言った。

「……時に昌浩、お前、陰陽師にならないんじゃなかったのか？」

「え？」

昌浩の手が止まる。開いているのは陰陽術のあれやこれやが記載《きさい》されているもので、周りに散らかしてある巻物や文書もその類《たぐい》だ。

安倍邸には陰陽に関する様々な書物がそれはもうたくさんあって、幼少のみぎりには成親も昌親もそれらを読み解いたものだった。

陰陽の道を志す者にとって、この邸《やしき》は宝物庫に等しいだろう。

「藤原の義父《ちち》のお客人から聞いたぞ。天文博士の末のお子が、雅楽寮《うたりょう》の笛師《ふえのし》のもとに通って指南を仰《あお》いでいると」

――貴族のたしなみというわけではなく、どうやら本気でその道を志したいと思っているようだという話でしたよ。ですが…

「本人の情熱は素晴《すば》らしいものだったが、いかんせん雅楽師《うたのし》を志すには少々難ありで……とかなんとか」

昌浩は口をへの字に曲げて低く唸《うな》った。

音は、出るのだ。が、音が出せるのと曲を奏《かな》でられるのとは、同義ではない。

「吹ければまぁ、いざというときに役に立つこともあるから覚えるのは悪いことじゃないが、お前昔から不器用だろう」

渋面《じゅうめん》の昌浩がうつむき加減で黙《だま》り込む。

音は出せても、曲を奏でるための指使いがどうにもこうにも追いつかないのである。次はどうだったかを頭で考えているうちに遅《おく》れるらしく、誰かとあわせるなど絶望的なのだ。ついでに、なめらかな音色というものはとても難しく、その技量を身につけられるだけの音楽的な才能は、はっきりいって昌浩にはない。

「琵琶《びわ》も挑戦《ちょうせん》したと聞いたが、どうだったんだ?」

「………」

書面を見ながら、昌浩はひたすら沈黙している。

成親は思った。やっぱり。

「剣《けん》と弓もやってみたらしいが、そっちは?」

昌浩の眉間《みけん》にしわがよる。

「………反射神経は、そこそこいいと褒《ほ》められました」

反射神経だけしか褒められなかったわけだ。

刃《は》を潰《つぶ》した剣を持たせてもらってひとしきり振るっただけで、その道の大家にはわかるもの
らしく、いざというときのために己《おの》れを鍛《きた》えておくのは良いことだと言われた。だが、危険な
状況《じょうきょう》に陥《おちい》ったときは後退するのも勇気であると、父より歳《とし》を重ねていると思《おぼ》しき武士に諭《さと》さ

れたので、立ち向かったら返り討《う》ちにあう程度の腕《うで》にしかなれないのだろう。

弓に至っては、どういうわけだか的にまったく当たらない。ちゃんと狙《ねら》いを定めて射ているはずなのに、ここまで当たらないのもいっそ見事という為体《ていたらく》。的の近くまでは届くのだが、的に当たらないのでは意味がない。

「……そうか」

さしもの成親もかける言葉が見つからない。

彼自身はといえば、祖父の従える十二神将たちにそこそこ鍛えてもらったので、それなりにそれなりに。

安倍の者は陰陽術を扱《あつか》う。呪詛《じゅそ》を返したり、企《くわだ》てを占《せん》で読み取り阻《はば》むことなどがあるため、逆恨んだ貴族から夜襲や闇討ちをかけられる場合があるのだ。

陰陽師《おんみょうじ》にとって、我が身を守る術《すべ》は必要不可欠。そこそこ武具を扱えれば命の危険は減る。さらには、得物《えもの》を持っていないときの備えとして、効率よく撃退《げきたい》するための拳闘《けんとう》まで叩《たた》き込まれた。

十二神将自身は人間相手では手が出せない理《ことわり》を持っているそうで、報復は自らの手でくだせという、いささか物騒《ぶっそう》な教えだったようだ。

基本的に十二神将たちは、晴明と、彼の家族たち以外の人間にはいっさいの情がない。神は非情なもので、神将たちもその神の末席に連なる存在だから、それを冷酷《れいこく》だと思うのは筋違《すじちが》いだろう。

成親は昌浩をしみじみと見た。

反射神経は褒められたのだし、自分たちの弟なのだから、本気で稽古《けいこ》に励《はげ》めばそこそこにはなりそうな気もするが。

「剣や弓は楽しかったか？」

ここで、楽しかったと真っ先に出てくるならば、諦《あきら》めないでつづけてみたらどうだと言うつもりだった。が。

「楽し、い……？」

成親の唐突《とうとつ》な問いに、昌浩は軽く目を見開いて、少し思案しているようだった。

「……剣も弓も初めて持ったから、珍《めずら》しかったけど、楽しいと思えるほどじゃ…」

「ほーう？」

昌浩自身は気づいていないが、それは才能以前に興味がないのだ。実際に才能もあまりないのだろうが、才能がなくても努力すればそこそこにはなれるものである。本人にその気がまったくないから興味がなく、だからやる気につながらない。

昌浩に剣や弓を教えた武士は、それを正確に見抜いていたわけだ。

武芸に関しては、本人が必要を感じたら積極的になるかもしれないが、そうでないなら無理にやることもないだろう。基本的に陰陽師は文官であって武官ではないのだ。

そんなことを考えているうちに、思い出した。

「ああそうだ。書の大家にも教えを乞うたんだろう？　どうだったんだ」

昌浩の顔が、輪をかけて渋《しぶ》くなる。

訊かないほうがよかったかもしれないと思ったが、あとの祭りだ。

昌浩はしばらくもごもごと口の中で何かを言っていたが、文台の近くに置いてある書道具を一瞥《いちべつ》して肩を落とした。

「……いつでも遊びにおいでなさいと、言われて」

その意味を正確に察した成親は、目をしばたたかせて昌浩の肩をぽんぽんと叩いた。

「まぁ、丁寧《ていねい》に書いて読めればいいんだ、ああいうのは」

「でも、陰陽寮《おんみょうりょう》に出仕するようになったら、書き物をする機会も増えるだろうし、いまのままというわけにもいかないでしょう。せめてもう少し、こう…」

手をわきわきさせる昌浩に、成親は尋《たず》ねた。

「陰陽師にはならないんじゃなかったのか？」

昌浩の動きが止まった。成親は軽く息をつく。

「なぁ昌浩。どうしてそんなばかなことを言い出したんだ。……本当に嫌なんだったら、いまからでも俺が父上とおじい様にかけ合うぞ」

成親は昌浩の兄なので、本当に嫌がっていることはさせたくないと思っている。もし万が一、この家に残っているのが自分だけだからという義務感で陰陽の道を志すと言っているなら、気にするなと諭すつもりで来たのだ。

腕組みをする長兄《ちょうけい》を上目遣《うわめづか》いに見て、昌浩はぼそぼそと答えた。

「…陰陽師には、見鬼《けんき》の才が必要不可欠でしょう」

「そうだな。見鬼がなくても、なれないというわけじゃないが、見鬼がある者より苦労するのは確かだ」

現在陰陽寮には、見鬼の才を持たない陰陽生がひとりいる。彼は見鬼を持たない代わりに相当の努力を重ねており、見鬼のある者を抜いて筆頭の地位をもぎ取った。彼の場合、陰陽師としての才覚はあったのだろう。だが、見鬼の才だけがなかった。それを補うために彼が己れに課した努力は血のにじむようなものだったに違《ちが》いない。

成親はそういう努力家を好ましいと思う。身分や家柄《いえがら》の上に胡坐《あぐら》をかいてふんぞり返っている殿上人《てんじょうびと》の子弟《してい》より、よほどいい。

「実は俺……」

膝《ひざ》を摑《つか》んだ昌浩の手が白くなっている。余計な力がこもっているのだ。

「見鬼をじい様にずっと封《ふう》じられてて…。こんなんじゃ陰陽師になるのなんて無理だと思って、だから……」

衝撃的な告白だった。昌浩にとっては。が。

「ああ、そうだったな。でも、その様子だと戻《もど》ったんだろう？」

「はい」

こくりと頷《うなず》いた昌浩は、ふいに眉《まゆ》をひそめて顔をあげた。

「――――え？」

胡乱《うろん》げに聞き返した昌浩に、成親はあっさりと言ってのける。

「なんだ、お前が陰陽師にならないと言い出したというからどんな重大事件が勃発《ぼっぱつ》したのかと思ったら、そんなことか」

「そんな…て…、え？」

濁点《だくてん》のつきそうな声音《こわね》に、成親は半ば呆《あき》れたような目を向ける。

「ああびっくりした。何ごとかと思ったぞ。なーんだ、そんなことならわざわざ飛んでくることなんかなかったなぁ」

深々とため息をついて肩をすくめている長兄に、目を剝《む》いた昌浩は恐《おそ》る恐る尋ねる。

「兄上、ちょっと待ってください。そんな、て。まさか、俺の見鬼が封じられてたこと、知ってたんですか!?」

「もちろん」

「なんで！」

「おじい様から聞いたから」

着袴《ちゃっこ》の儀を迎《むか》えた頃だ。あまりにも見えすぎて、かえって困ったことになるかもしれないと憂《うれ》えた晴明が、その才を封じた。

そういうわけで、これの「眼《め》」はいま徒人《ただびと》と同じだが気にしないように。

そう伝えられた成親昌親兄弟は、そんなに見えているなんてさすがは大陰陽師《だいおんみょうじ》安部晴明の後《こう》継《けい》だなぁと呑気《のんき》に感心したのであった。

なまじ見鬼があるとそれに頼《たよ》って基本をおろそかにすることもある。見鬼がない分、混じり気のない知識を会得《えとく》できる。

事実、昌浩は乾《かわ》いた砂が水を吸うように、祖父の教えをとても素直《すなお》に受け取った。いまの昌浩が得ている知識は、成親や昌親よりずっと膨大《ぼうだい》だ。ただ、それを使う機会がいままでなかったから、本人に自信がないだけで。

昌浩がなりたいのは、物心つく前から変わらずにただひとつ。

陰陽師なのだ。

たとえどんなに寄り道をしようとも、それが変わることなどあるわけがない。

それくらい、わかっていたのに。別の道を志そうとしていると思いがけない筋から聞いたものだから、いらぬ心配をしてしまった。

「……ち、父上だけじゃなく、兄上まで…。ということは、まさか昌親兄上も…」

「ああ、知ってる。俺と一緒《いっしょ》に聞いたからな。あれも、お前が陰陽師にならないといっていると聞いて、大層案じていたなぁ」

「……っ、……っ、……っ！」

もはや、言葉が見つからない昌浩である。

当事者だけが知らないで、周りはみんな知っていた。これはなんの笑い話なんだ。元服《げんぷく》の決まった正月からこっち、ただひたすら家族たちを心配させたくなくて、がっかりさせたくなくて、なんとか別の道を模索《もさく》していたこの俺の苦労は。

もしかしなくとも、全部無駄《むだ》だったのか。

「ひ、ひどい…！　俺、本気でどうしようかって、すごく悩《なや》んで、いっぱい考えて。父上とか兄上に相談したくても、見鬼がなくなったこと知らないから、心配させたらだめだって、ずっと思ってたのに……っ！」

後半は涙声《なみだごえ》である。

「そんなに思い悩んでたとは知らなかった、すまんすまん」

「俺の人生の一大事を、そんなお気楽にっ！」

それまで鬱屈《うっくつ》していたであろう感情が、ここにきて爆発《ばくはつ》したらしい。

「別にお気楽になんて考えてないって。意外だっただけだ」

珍《めずら》しく食ってかかってきた末弟をいなす成親の、それは本音だった。

まだまだ子どもだと思っていたが、知らない間に大きくなっていたんだなぁと、感慨《かんがい》深いものがある。

「何も言わなかったのは悪かった。でも、お前も相談のひとつもしてこなかったのは悪い。できなかったのはわかるが、言ってくれないと伝わらないものだってある」

「……それはまぁ、確かに」

素直に認めて、昌浩はしかつめらしい顔をした。

「とにかく、俺、じい様の言いつけで髑髏《どくろ》退治に行かないといけないんです。今度こそ自分の力でやらないと」

何かあったらしい。

気にはなるが、迂闊《うかつ》につつくと藪蛇《やぶへび》になりそうなので、追及《ついきゅう》はやめることにした。

「で、どこがおぼつかないんだ？」

「あ、ここ。あと、こっちも……」

「ふむふむ」

頷きながら、成親は思う。

昌浩自身は気づいていないのだろうが、笛や剣《けん》や書の話をしているときより、いまのほうがずっと生き生きしている。

何かで大成するためには、才能だけではいけない。努力だけでもいけない。

才能と、努力。そのふたつがそろって初めて、花開くのだ。

昌浩には天与《てんよ》の才があり、生まれたばかりの赤子の頃に成親はそれを見抜いた。

そして、ああこの子がおじい様の後継だなと、誰《だれ》に言われるでもなく思ったのだ。

ずっと昔、異形《いぎょう》の括《くく》りにもう入っているのではないかと実の孫ですら思う晴明が、未《いま》だかつて見たことがないほど相好を崩《くず》したことがあった。

──昌浩がなぁ。あの幼い昌浩が、こんなことを言いおった
大きくなったらじい様のお手伝いをしてあげるねと、言ったのだそうだ。

あれほどに嬉《うれ》しそうな顔を見たのは初めてで、成親も昌親も、正直我が目を疑った。

書面をめくりながらうんうん唸《うな》っている昌浩を見ながら、成親は仄《ほの》かに笑う。

なぁ昌浩、お前は知らないだろうがな。あのおじい様にあんな顔をさせられるのは、いまは亡《な》きおばあ様以外にはお前だけなんだぞ。

だから、寄り道なんてせずに、最短距離《きょり》を行け。

遊んでいるように見えて、たぬきのように見えて、誰よりあのひとは、お前の成長を心待ちにしている。

「ときに、昌浩」

「はい？」

手を止めて顔をあげる昌浩に、妻戸《つまど》を顧《かえり》みながら成親は胡乱げに言った。

「さっきのあの白い異形。なんだってまた、あの騰蛇があんな姿をしてるんだ？」

成親がその答えらしきものを知るのは、ずっとあとのこと。

少年陰陽師

夢見ていられる頃を過ぎ

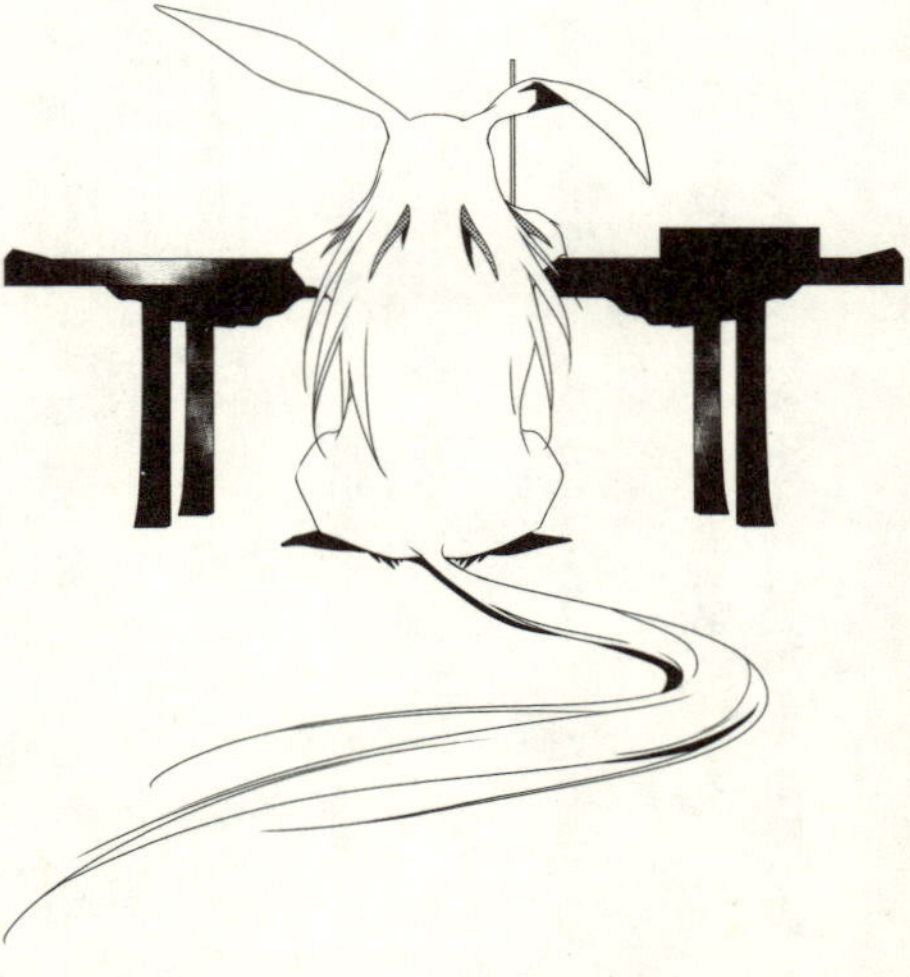

1

「きいてちょうだい、せいめい」

深刻な面持《おもも》ちで切り出した内親王脩子《ないしんのうながこ》に、安倍晴明は重々しく応じた。

「は。姫宮様《ひめみや》の仰《おお》せとあらば、この晴明、なんなりと」

脩子は唇《くちびる》を引き結んで頷《うなず》くと、ちらと周囲に視線を走らせる。

察した女房《にょうぼう》たちがついと一礼して下がっていく。

廂《ひさし》に一番近い場所に端座《たんざ》していた女性と、一段低い廂に控《ひか》えていた少女も、ほかの女房たちにつづいて腰《こし》を浮《う》かせた。

そこで脩子が声を上げる。

「ふじかとくもいは、みすをさげて。そのままひさしにいて。ようができたとき、だれもいないとこまるもの」

去りかけていた命婦《みょうぶ》の眉《まゆ》がぴくりと跳《は》ねた。しかし彼女は無言でその場をあとにする。

簀子《すのこ》の高欄《こうらん》に寄りかかって女房たちがいなくなるのを待っていた十二神将太陰が、命婦の表情に少しだけ渋《しぶ》い顔になる。

「……わたし、命婦、気に入らないわ」

階《きざはし》に座って庭を眺《なが》めていた玄武が、渋面《じゅうめん》の太陰を肩越《かたご》しに一瞥《いちべつ》し、視線を庭に戻《もど》しながら口を開いた。

「太陰よ。たとえ気に入らなくとも、あれは亡《な》き皇后の腹心の女房だった者だろう。いささか言葉尻《ことばじり》がきつかろうと目つきに険があろうと晴明に対する居丈高《いたけだか》な物言いや振《ふ》る舞《ま》いが癇《かん》に障《さわ》ろうと、亡き皇后の忘れ形見である内親王をこの世で一番大事に想《おも》っているに違《ちが》いない。お前がどのように感じているとしても、それを口に出すべきではないと思われる」

あらぬ方《かた》に視線を投じながら、甲高《かんだか》い声が淡々《たんたん》と紡《つむ》いだ台詞《せりふ》に、太陰は眉間《みけん》にしわを寄せながら胡乱《うろん》げに呟《つぶや》いた。

「……玄武、わたしそこまで言ってないわよ」

「む……」

玄武の肩《かた》がぴくりと動く。あちらを向いているから見えないが、想像するにどうやらばつの悪い顔をしているらしい。

太陰と玄武の中間に思い思いの体勢で寝《ね》ころんでいた雑鬼《ざっき》たちが、ふたりの神将を交互《こうご》に眺めてから苦笑《くしょう》まじりの顔を見合わせた。

「まぁ、仕方ねぇよなぁ」

「皇后の大事の時、晴明が都にいさえすればって、ずっと泣き濡《ぬ》れてたらしいもんな」

「晴明は晴明で大変だったんだって、俺らは知ってるけどな」

脩子に聞こえないように声をひそめている雑鬼たちを、御簾《みす》をおろして廂に端座した風音《かざね》と藤花《ふじか》は苦笑しながら見やる。

都はもう春の終わりにさしかかっている。あと数日もすれば、季節は夏だ。

◇　◇　◇

内親王脩子の一行が、遠い伊勢《いせ》の地から都に戻ったのは、十日ほど前のことだった。

脩子たちはまっすぐ京に戻ることはせず、賀茂《かも》の斎院《さいいん》に一度入り、禊《みそぎ》を行った。

対外的には、脩子は内々に賀茂の斎院に籠《こも》っていることになっていたからだ。

伊勢からの帰路も、できるだけ人目につかないよう、従者はごく僅《わず》か。

賀茂の斎院に入ってすぐ、脩子は帝《みかど》にあてて帰京を報《しら》せる文《ふみ》をしたため使いの者に持たせたが、どうしてか帝からの返事はなかった。

代わりに届いたのは、左大臣藤原道長《ふじわらのみちなが》からの密書だった。

皇后定子《さだこ》崩御《ほうぎょ》ののち、今上の帝は相変わらず生きる気力を失い、ただただ悲嘆《ひたん》に暮れる日々を送っている。中宮《ちゅうぐう》や、ほかの后《きさき》たちがどのようになぐさめても、それらがまるで耳に入っていないかのような様子。姫宮様からの文も目に入っておらず、このままでは帝の御身《おんみ》が、と殿《てん》上人《じょうびと》たちが大層案じている、ということだった。

驚《おどろ》いた脩子は急いで晴明に日を選ばせ、都に入って参内《さんだい》した。

戻った脩子を一目見た帝は、いよいよ幻《まぼろし》まで見るようになったかと生気のない顔で呟き、力なく頭《かぶり》を振った。

そんな帝の目に光が戻ったのは、駆《か》け寄ってくる脩子の背後に老人の姿を認めたときだった。

のろのろと身を起こし、飛び込んできた脩子を抱《だ》き留めながら、彼は覚束《おぼつか》ない様子で言った。

まことに晴明か、と。

そして、腕《うで》の中の愛娘《まなむすめ》をじっと見つめると、やがて彼ははらはらと涙《なみだ》をこぼし、脩子を抱きしめむせび泣いた。

脩子はそんな父親に、黙《だま》って抱かれていた。

晴明はのちに、帝の腕の中におられる幼い姫宮様が、まるで帝の御身を抱いて差し上げているかのようだったと、十二神将たちに語った。

もしかしたらもう二度と相見《あいまみ》えることはかなわないかもしれないと、密《ひそ》かに覚悟《かくご》していた愛娘の姿に、帝はようやく生きる気力を少しだけ取り戻した。

脩子はその後数日を内裏《だいり》で過ごし、渋る父を説き伏《ふ》せて、母が最期《さいご》の時を過ごした竹三条宮《たけさんじょうのみや》に入った。

そこには、定子亡きあと、哀《かな》しみながら邸《やしき》を守っていた女房や雑色《ぞうしき》たちがおり、脩子の帰りを大層喜んだ。

そして脩子は、斎院に残っていた風音と彰子を呼び寄せた。

◇　◇　◇

ふたりだけしかいない母屋《おもや》の中で、脩子は晴明にそばに寄るよう示した。

従う晴明に顔を寄せて、口の横に両手を当てて声をひそめる。

「あのね、ゆめをみたの」

「夢、ですか？」

「そう。くろくて、おおきくて、こわいおとこが、それほどおおきくなくて、あまりくろくもなくて、ころもをかぶっているおとこに、なにかをめいじていたの」

晴明は、ひとつ瞬《まばた》きをした。

「……黒くて、大きくて、怖《こわ》い男が、さほど大きくない、黒くもない、衣《ころも》を被《かず》いた男に、何かを命じていたのですか」

「そうよ。そして、めいじられているおとこが、わたしをみて、ああこのあいだはもどれてよかったね、て、わらったの」

晴明は、もう一度瞬きをした。

「……………命じられている男が、姫宮様をご覧になって、ああこのあいだは戻れて良かったねと、笑ったのですか」

そこで脩子は頬《ほお》に手を添《そ》えて考えるそぶりを見せた。

「ふしぎなのだけど、わたし、あのおおきくて、くろくて、こわいおとこを、まえにもどこかでみたようなきがするの」

晴明は、みたび瞬きをした。

「………どちらでご覧になったのですか」

今度は脩子が瞬きをした。

なぜだろう。老人が、いささか半眼になっているように見えるのは。

「それが、おもいだせないの。だから、もしかして、せいめいならなにかわかるのではないかとおもって」

そこで、脩子は少し言い澱《よど》んだ。

「……ただのゆめだと、おもうけれど。どうしてこんなに、きになるのか、わからない」

うなだれて息をつく脩子に気づかれないように、晴明は明後日《あさって》のほうを見やって胸中で呟いた。

なにをしてるんだ、あのばか。

御簾から少し離《はな》れ、簀子《すのこ》の近くに端座《たんざ》した風音は、ふうと息をついた。

「……命婦殿《どの》は、姫宮《ひめみや》が自分よりも私や彰子姫をそばに置きたがることが、気に障るのでしょうね」

苦笑まじりに呟いた風音に同じような面持《おもも》ちで頷《うなず》いた彰子は、ふと瞬きをして一度視線を落とした。

「……あの……雲居《くもい》様に、お願いが」

「なに？」

首を傾《かたむ》ける風音と、雑鬼《ざつき》たちにも視線をやって、彼女はこう言った。

「今後、私のことは、ずっと藤花と呼んでください」

目を瞠《みは》った風音が何かを言うより早く、雑鬼たちが飛びあがった。

「ええっ⁉」

彼女は口元に指を当てて声をひそめるように促《うなが》すと、御簾の向こうを窺《うかが》う。

晴明と脩子は顔を寄せて何かを話している。こちらを気にする様子はない。

ほっとしながら、彼女は真剣《しんけん》な面持ちでつづけた。

「姫宮様にお仕えすると決めてから、ずっと考えていたの。これからは、藤花を自分の名前にしよう、と……」

かりそめの名ではなくて、真実を隠《かく》すための名ではなくて。

「ほら、猿鬼たちが前に言ってくれたでしょう？　それで、考えたの」

「え……」

雑鬼たちは顔を見合わせた。

そういえば、脩子が黄泉《よみ》の葬列《そうれつ》に襲《おそ》われる前、そんな話をした気がする。

いっそ藤花をお姫のほんとの名前にしたらどうだと、確かに言った。

しかし、色々なことがありすぎたおかげで、それを言い出した雑鬼たち自身もそれをすっかり忘れていたのだ。

「姫宮様にお仕えするのは、安倍家の遠縁《とおえん》の、藤花」

だから、これからは本当に藤花というひとになっていこうと、伊勢からの道中に心を決めたのだと、彼女は語った。

「お姫……」

「それで、いいのか…？」

「ほんとに…？」

複雑な面持ちで見つめてくる雑鬼たちに、彼女は小さく笑う。

「ええ。藤花、言ってみて？」

雑鬼たちは顔を見合わせて、猿鬼が渋々《しぶしぶ》と口を開いた。

「……ふじか」

「うん」

嬉《うれ》しそうに目を細める彼女とは反対に、一つ鬼や竜鬼が顔をくしゃくしゃにする。

自分たちが言い出したことなのに、どうしてか無性《むしょう》に切ない。

彰子は困ったように首を傾《かし》げた。

「そんな顔をしないで。私が自分で選んだのよ」

それに、と、彼女は口元に手を添えて内緒話《ないしょばなし》をするように声をひそめた。

「藤花というのは、陰陽師《おんみょうじ》が名づけてくれたのよ。言霊《ことだま》が強そうだと思わない？」

「陰陽師？」

首をひねった雑鬼たちは思い出した。そういえばその名は、晴明の孫の成親が、外で呼べないのは不便だからと勝手に呼んだのがはじまりだったのだと。

確かに、陰陽師が名づけてくれたと、言えなくもない。

「言霊が強そうなんて、陰陽師が言いそうな台詞《せりふ》ね」

それまで黙《だま》って聞いていた風音が目を細める。

名前は一番短い呪《しゅ》だ。

「わかったわ、藤花様」

風音が応じて、思慮《しりょ》深い眼差《まなざ》しで彼女を見つめた。

藤原彰子だった自分と決別して、藤花という別の人間として生きていくために、こう宣言することが彼女なりのけじめだったのだろう。

「ありがとう、みんな」

微笑《ほほえ》んで、藤花はほっと息をつく。

「あとで晴明様にもお願いをして、昌浩にも……」

言い差して、藤花は少し迷うようなそぶりを見せた。

「どうした、おひ……藤花」

言いにくそうにして呼び直した竜鬼に、藤花は少しだけ不安げに眉根《まゆね》を寄せる。

「……私、まだ昌浩に、姫宮様に女房《にょうぼう》としてお仕えすること、報《しら》せてないの……」

雑鬼たちが目を丸くする。それは大変だ。

どう言うのがいいんだと口々に意見を出し合う雑鬼たちを眺《なが》めた風音は、ふと瞬きをして頰に手を当てた。

「そういえば……」

藤花と雑鬼たちが視線を向けてくる。

風音は空を見上げて首を傾けた。

「昌浩、かなり前から都にいないらしいのよね」

「え？」

四つの声が重なった。

全員が瞠目《どうもく》し口を開けて風音を凝視《ぎょうし》している。

最初に我に返ったのは藤花だった。

「そ……っ、それは、どういう…？」

「私も詳《くわ》しいことはまだちゃんと確認《かくにん》してないけど、なんでもいまは、修行《しゅぎょう》のために播磨《はりま》にいるみたい」

本当は、昌浩が濡《ぬ》れ衣《ぎぬ》を着せられて都を追われ、逃亡《とうぼう》劇を繰《く》り広げたあげくに播磨に潜伏《せんぷく》し、疑いが晴れたのちにも修行のために彼《か》の地に残ることを選んだ、ということを風音は知っているのだが、それを藤花に伝えていいものかどうか判断がつかなかったので、途中《とちゅう》経過は割愛《かつあい》し結果だけを告げた。

いずれは、晴明か安倍家の者が、もしかしたら昌浩自身が、何が起こっていたのかを藤花に伝えるだろう。

「だから……文《ふみ》をくれなかったのかしら……？」

さかんに瞬《まばた》きをして呟《つぶや》く藤花に、風音はそうかもねと笑いかけた。

「いまも、書く暇《ひま》がないくらい、厳しい修行をしているのかもしれないわ。でも、読むくらいはできるだろうから、藤花様から送ってみたらどうかしら。嵬《かい》に頼《たの》んであげる」

藤花は嬉しそうに頷いた。

「ありがとうございます」

そうして藤花は、西の空を見やった。よく晴れて、雲ひとつない。

「昌浩、いま頃《ごろ》何をしているのかしら……」

2

いま頃何をしているのかと思いを馳《は》せられていることなどつゆ知らず、昌浩は渓流《けいりゅう》に面した岩の上に座り、口に横笛を当てて据《す》わった目をしていた。

幼少のみぎりより育て上げた苦手意識はこの山より高い。

才能ないねと嫌《いや》な太鼓判《たいこばん》を押されてより幾星霜《いくせいそう》。どうにかこうにか音は出るようになったが、美しい音色など夢のまた夢。

どうせ必要になる日なんて来ないさと高を括《くく》っていたつけを、まさか播磨の地で払《はら》うことになろうとは。

ひょろりろと、頼《たよ》りない音色が渓谷《けいこく》に響《ひび》きかけたが、ふうっという息の音に変わった。

それでもめげずに指を動かし、耳に残る音色を奏《かな》でる。気分だけ。

一曲分動かしてやめ、昌浩は眉間《みけん》にしわを増やしながら、息を大きく吸い込んだ。

「……っ」

ふうっと、息の音だけがむなしく響いた。

呼吸は大事だ。呪文《じゅもん》も祝詞《のりと》も祭文《さいもん》も神咒《かじり》も、呼吸が長ければ長いだけ強い効力を発揮する。肺が空になって意識が飛びそうになるほど吐《は》き出して、限界に近い速度でゆっくりと息を吸う。そしてまた息をすべて吐き、ゆっくりと息を吸う。

昌浩が菅生《すごう》の郷《さと》に滞在《たいざい》するようになってから、ひと月以上が経過した。はずだ。なんとなく、そんな気がしている。

覚束《おぼつか》ないのにはわけがある。

毎日毎日朝早くから夜遅《よるおそ》くまで野山をめぐり、ふらふらになるまで組手をし、考えなくても動けるように型を叩《たた》き込まれる日々を送っていた。

ものが考えられなくなるほど疲《つか》れ切る毎日で、時間の流れの感覚がわからなくなっている昌浩だった。

夕霧《ゆうぎり》が笛を持ってきたのは、確か十日ばかり前だ。

龍笛《りゅうてき》ではなく篠笛《しのぶえ》だったが、笛に変わりはない。

久しぶりに見たその形状に、うげげげげっと後退《あとずさ》った昌浩だったが、夕霧は眉《まゆ》ひとつ動かさずに笛を押しつけてきて、これから吹《ふ》く曲を覚えて一刻ほど稽古《けいこ》しておけと言い渡《わた》した。

あれから毎日、午後の一刻は笛と格闘《かくとう》している昌浩である。

目まぐるしく動き回っていつの間にか一日が終わる日々でなくなったのは良いのだが、この僅《わず》か一刻が昌浩にとっては拷問《ごうもん》に等しい。

笛を吹くくらいなら、あの山に行って帰ってきてを十往復しろと言われたほうがまだましだ。いや、実際に言われたらそれはそれで気が遠くなりそうだが。

「…………っ…………っ」

しばらくあがいていた昌浩は、ふいと笛を下ろし、うなだれて重い息を吐き出した。

「……なぜ、ふえ……」

よりによって、なんでどうして笛なんだ。

「……ほかにいくらだってあるだろ……術を覚えるとか、呪文を覚えるとか、螢《ほたる》や夕霧が使ってる体術を覚えるとか」

そう、いくらだってあるはずなのに、午後の一刻は必ず笛。しかも音はろくに出ない。やれというならせめて、どうすれば安定した音が出せるようになるのか、美しい旋律《せんりつ》を奏でられるようになるのか。そういった技術を教えてほしい。

夕霧から渡された笛をじとっと眺め、昌浩は低く唸《うな》った。

「こんなことやってる時間なんて、ないっての…」

自分が未熟だと、痛感した。だから、いままでよりさらに、術の精度を高め、技《わざ》を磨《みが》き、知識をたくわえて、一人前の陰陽師《おんみょうじ》だと誇《ほこ》れるようになるのだ。

そのために、都を離《はな》れたこの地に留《とど》まることを選んだ。

「俺は、笛を吹くためにここにいるんじゃない…っ！」

両手でぐぐっと篠笛を握《にぎ》り締《し》めた昌浩の足首を、突然《とつぜん》何かが摑《つか》んだ。

「え？」

胡坐《あぐら》を組んでいたのを随分《ずいぶん》前に崩《くず》し、岩べりから下ろした左足。渓流は一丈《じょう》ほど下を流れ、空間があいている。

「なんだ…？」

渓流を覗《のぞ》き込んだ昌浩は、何かと目が合った。

「――――」

いや待て。目が合うとか、おかしいから。

理性はそのように告げているが、確かに目が合っているのだから仕方がない。

しばらくすると、それは昌浩の足を凄《すさ》まじい力で引っ張った。

「わ…っ⁉」

体幹がぶれて下半身が岩から引きずりおろされる。

咄嗟《とっさ》に左手をのばして岩を摑もうとしたが、指先が岩肌《いわはだ》を掠《かす》めただけで空を切った。

「――――…っ！」

激しい流れに落下の水音が呑《の》みこまれ、散った飛沫《しぶき》もすぐに消えた。

右手に持った笛を放さなかったことだけは、自分を誉《ほ》めていいと思った。

◆　◆　◆

播磨国赤穂郡《あこうのこおり》、菅生の郷。

陰陽師集団神祓衆《かんばらしゅう》の郷である。

神祓衆の長《おさ》、小野《おの》家本邸《ほんてい》の一室に、神祓衆の長と長老衆と、白髪《はくはつ》と赤い瞳《ひとみ》の現影《みかげ》たちが集《つど》っていた。

氏《うじ》を持たない現影の長は、齢《よわい》九十になろうとしている。

三代前の長の現影だった。三代前が亡《な》くなった折に一線を退き、神祓衆の相談役となっている。

「幡《はた》の長老。あれをどう見る」

年老いた現影に問われた老人は、思慮《しりょ》深い面持《おもも》ちでゆっくりと言葉を継《つ》いだ。

「霊力《れいりょく》は突出《とっしゅつ》しているな。ひととおり様子を見たが、鍛《きた》えれば相当のものになるだろう」

彼らは、ひと月以上をかけてじっくりと吟味《ぎんみ》していた。

長老衆が目配せをしあう。

老人たちの輪からはずれたすみに、夕霧が座していた。

「僭越《せんえつ》ながら。いまでも相当の陰陽師だと思われます」

「霊力が多少長《た》けている程度で、相当の陰陽師などと言っては笑われるぞ、夕霧」

「生来の力だけを頼《たの》みとすれば、いずれは自滅《じめつ》の一途《いっと》をたどる」

「安倍晴明は、あの才に見合った知識と術をできうる限り授《さず》けたようだが、片手打ちでは意味がない」

一見好々爺然《こうこうや》としている老人たちの目が、一瞬苛烈《いっしゅんかれつ》さを帯びた。

「剣《つるぎ》を扱《あつか》えねば話にならん」

「鏡も磨かねば」

「玉もいるぞ」

すると、それまで黙《だま》っていた老女が、喉《のど》の奥で小さく笑った。

「なんとまぁ、結局全部じゃないか」

しわだらけの顔がくしゃっと笑い、それを見た夕霧は背筋に薄《うす》ら寒いものを覚えた。

「それだけ、見込みがあるということだねぇ」

神祓衆は、陰陽師の才覚というものにことのほか辛辣《しんらつ》だ。

これ以上の成長が期待できないようであれば、さっさと都に戻《もど》らせただろう。見込み違《ちが》いがあってはならないから、じっくり時間をかけたのだ。

「どこまでのびるかは、修行次第《しゅぎょうしだい》だね。幸い、あの恐《おそ》ろしい天狐《あまきつね》の血をもっとも色濃《いろこ》く受け継いでいる。できるだけ効率よく、何度か生死の境を彷徨《さまよ》えば、飛躍《ひやく》的にのびるだろう」

長老たちが応じる。

老女は夕霧を顧《かえり》みた。

「まずは身体《からだ》を作り変えることが肝要《かんよう》だ。考えているんだろう？」

「はい」

「では、しばらくお前に任せる。ある程度形ができたら、頃合《ころあ》いを見計らって段階をあげていく。それでいいだろうね？」

誰《だれ》からも異論はなかった。

夕霧が腰《こし》を上げようとしたとき、血相を変えた若い女が飛び込んできた。

「大変です、長老様方、螢様が……！」

彼女が言い終わる前に、夕霧が飛び出していく。

「ああ、走ってはだめだと言っているだろう。誰か、水を持ってくるように」

女を座らせて、呼吸を整えさせながら、老女はいたわるように言った。

「山吹《やまぶき》、お前の胎《はら》の子は神祓衆の次代を担《にな》う長だ。身をいとわなければ」

長老たちが心配そうな面持ちで頷《うなず》くのを見て、山吹は心から申し訳ないという風情《ふぜい》で目を伏《ふ》せた。

「螢様も、そのように仰《おお》せられて…」

目立ちはじめたお腹《なか》を両手で抱《だ》くようにしながら、山吹はうなだれた。

「……この子の顔を見るまでは、死ねないと…」

彼女の呟《つぶや》きに、張りつめたような沈黙《ちんもく》が流れる。

誰ともなしに顔を見合わせ、やがて深いため息が幾《いく》つも重なった。

目を開けると、白い物《もの》の怪《け》の赤い瞳がごく近くにあった。

「――――、わ…、びっくりした…」

掠れた呟きを聞いた物の怪は、眉間《みけん》にしわを寄せて白く長い尻尾《しっぽ》をぴしりと振《ふ》った。

「びっくりしたのはこっちだ」

用事があってこの小野家本邸に立ち寄ったら、螢が喀血《かっけつ》して倒《たお》れたと大騒《おおさわ》ぎになっていた。

「あれほどきつく言われていたのに、また無理をしたのか」

渋面《じゅうめん》を作る物の怪に、螢は心外な、と言わんばかりに眉根《まゆね》を寄せる。

「無理なんかしてないよ。義姉《あね》様の居心地《いごこち》が良いように、色々考えてただけだ」

兄の時守《ときもり》の室《へや》を、これから産まれる赤子のために調《ととの》えるにあたり、衣類や調度品、道具類の整理をしていたのだ。

時守の持ち物は術の道具や書物が多く、ひとに任せるのは少し気がかりだったので、体調に気をつけながら螢が片づけをしていた。そして、彼女を案じた山吹が、身重の体で無理のない程度に手伝ってくれていたのだ。

「そうしたら、たまたま小さな壺《つぼ》が出てきて」

「封《ふう》じの壺か」

物の怪が目をすがめる。

陰陽師《おんみょうじ》の使う道具のひとつだ。妖《あやかし》を閉じ込めて封じておく。ときにはそれを操《あやつ》り、使役《しえき》とすることもある。

「そ。結構古かったらしくて、封印が切れかかってたんだよね。気づかなくてふたが開いちゃっただけだよ」

開いちゃっただけ、と螢はこともなげに言っているが、飛び出してきた妖が何であったとしても、閉じ込められていた事に対する積年の恨《うら》みは相当なものだったろう。

しかも、封じを施《ほどこ》した陰陽師本人はもういない。

「封印が切れたんじゃなく、中から破られたのと違うのか」

物の怪の目が据《す》わっている。

「ああ、そういう言い方もできるね。さすが騰蛇、詳《くわ》しいなぁ」

からりと笑いながら、同じ白い毛と紅《あか》い瞳だったら物の怪じゃないほうがいいのにと、薄情《はくじょう》なことを思った。

「螢」

螢はふっと息を詰《つ》めた。

顔を覗《のぞ》き込んできていた物の怪に気を取られていた。

手がのびてきて物の怪をどかし、枕元《まくらもと》に夕霧が膝《ひざ》をつく。どうやら彼は、彼女の眠《ねむ》りを邪魔《じゃま》しないよう距離《きょり》を取って気配を消していたらしい。

「なんだ……」

近くにいてくれたんだという言葉を呑《の》みこんで、話題を変える。

「昌浩の修行《しゅぎょう》はどうしたの？」

夕霧は肩《かた》をすくめた。

「いまは笛を吹《ふ》けるようになれと言い渡《わた》して、放《ほう》ってある」

「ああ……」

得心のいった顔で頷き、螢はくすりと笑った。

「あいつ、笛はからきしだったはずだけど、大丈夫《だいじょうぶ》なのかな」

「吹けなければ、色々なものが寄ってきて多少危《あや》うくなるだけだ、さしたる問題はない」

「そうだね」

白い髪《かみ》と紅い双眸《そうぼう》の青年が淡々《たんたん》と告げると、神祓衆次代長にと望まれたほどの力を持った少女がこともない風情で頷く。

「待て」

そこに物の怪が割って入った。

「うん？」

訝《いぶか》る螢に物の怪が食ってかかった。

「色々なものが寄ってきて危うくなる、とはなんだ。さしたる問題ないどころか大いに問題だろうが！」

さらに言い募《つの》ろうとした物の怪の首を、夕霧が無造作に摑《つか》みあげた。

「螢、安静にしていろよ。あとでまた様子を見に来る」

螢が軽く片手をあげる。

夕霧にぶら下げられた物の怪は、じたばた足掻《あが》きながらわめいた。

「おいこら、放さんかっ！　お前たちはどんな修行をあいつにさせとるんだ！」

紅い双眸の青年は軽く息をつき、物の怪を自分の顔の高さまで持ち上げた。

「ごくごく標準的な基礎《きそ》訓練だ。よほどのことがなければ死ぬことはない」

一旦《いったん》言葉を切ってつけ加える。

「もっとも、致命的《ちめいてき》に才能がなかったらその限りではないが」

「こらこらこらこらこらこらこらこらっ」

右前足の人差し指で夕霧をさし、物の怪は眦《まなじり》を吊《つ》り上げる。

「お前、昌浩を見くびるなよ!? あいつの笛の才のなさは折り紙つきだぞ！」

「……念のため確認《かくにん》するが、この場合折り紙つきではなく札つきと言ったほうが正確では？」

それ以前に、見くびるという表現もどうなのか。

夕霧の指摘《してき》に、物の怪はなぜかふんと胸を張った。

「昔、見事なまでに才能がない、いっそ称賛《しょうさん》に値《あたい》する、と教えることが生業《なりわい》の横笛師《よこぶえのし》をして言わしめた為体《ていたらく》。札つきと言ってしまったらあまりにも不憫《ふびん》だ、不憫すぎる」

ひとつ瞬《まばた》きをして、夕霧は物の怪をじっと見た。

「……一応訊《き》くが」

「なんだ」

だらんとのびきった体で、物の怪はなぜか偉《えら》そうだった。

「お前たちは、昌浩の実力を買っていて、ここでの修行でさらに飛躍することを望んでいる、ということで相違《そうい》ないか？」

「さらなる飛躍と上達としぶとさと、現実問題として八人程度は一度に相手をできる体術を身につけて多少安心できるくらいになるといいなと、心の底から望んでいるが？」

目をすがめた物の怪の尻尾が揺《ゆ》れる。

「ついでに言うなら、体術の類《たぐい》も苦手で一切《いっさい》手を出さなかったつけがここに回ってきている。あれが一人前になってくれると、俺も晴明も少しは安心できる」

これは紛《まご》うかたなき本音だ。

いつまでも自分が離《はな》れることなく守ってやるわけにはいかない。敵襲《てきしゅう》に遭《あ》ったとき、神将の護衛がなくても対処できる程度の技量を持つのが陰陽師としての本来の姿だ。

若かりし頃《ころ》の安倍晴明や榎《えのき》岦斎《りゅうさい》も、神将たちが手出しをする必要がない程度には実は武闘《ぶとう》派《は》の一面を持っていた。

とは言っても、晴明が若かった頃と比べれば、安倍氏の陰陽師に直接攻撃《こうげき》を仕掛《しか》けてくるような命知らずはそうそういない。

それもあって、晴明は昌浩に武術や体術の会得《えとく》を徹底《てってい》させることはしなかった。本人にやる気がないのだから、無理にやらせても嫌気《いやけ》がさすだけだと言って。

成親や昌親にはそれなりに体得させたのに、昌浩はそれをしなくて良しとしたのは、霊力《れいりょく》がずば抜《ぬ》け過ぎていたのと、三つのときに見鬼《けんき》の才を封じてしまったため、本来しなくていい苦労をしなければならず、武術体術まで手が回らなかったというのが実は一番大きな理由だった。視《み》えない身で霊術《れいじゅつ》の精度をあげるのは容易ではない。自然、その部分に晴明の教えは集中し、結果的に偏《かたよ》ってしまった。

晴明としては、おいおいに神将たちや兄たちに学ばせる心積もりがあった。それがめぐりあわせによって神祇衆から学ぶことになったのだ。

必要なものはどういう道筋をたどってもやってくるものだ。あまりにも偏っているから、肉親の容赦《ようしゃ》と言うものが一切介在《かいざい》しない、冷酷《れいこく》な一面を持つ陰陽師集団神祇衆のもとで修行するのは、ある意味理にかなっている。何しろ修行中に落命したとしてもそれは本人の未熟さのせいだと切って捨てる者たちだ。死にたくなかったらそれこそ死に物狂《ものぐる》いになるしかない。そして、命がかかると甘えが削《そ》ぎ落とされる。

そういう意味では実に効率的だ。命の安否云々《うんぬん》はさておき。

昌浩の身体能力はそれなりに高い。これまではその生来の身体機能だけでどうにかくぐり抜けてきた。だが、幾度《いくど》も窮地《きゅうち》に陥《おちい》った。無事にここまで生きてこられたのは、ひとえに運が良かったからだ。

「霊力を磨《みが》き、霊術を鍛《きた》えるだけでは片手打ち。昌浩は、あの安倍晴明を超《こ》える最高の陰陽師になるのが目標だ。そのためになぜ笛が必要なのか、説明しろ」

凄《すご》んで見せると、青年は言葉を探すように目を泳がせた。

「……直接必要と言うわけではない」

「はい？」

思わず目を丸くすると、夕霧はああいや、と、的確な言い回しを探す素振《そぶ》りを見せる。

しばらく眉間《みけん》にしわを寄せ、彼は低く唸《うな》った。

「……陰陽師は楽師ではないからな。別に笛の才がからきしだろうと、致命的だろうと、実のところそれは問題じゃない」

「致命的言うな」

さすがに物の怪《もののけ》はそこまで言っていない。

大した違《ちが》いはないだろうにと胸の奥で呟《つぶや》きながら、夕霧は軽く眉《まゆ》をひそめた。

「笛は、感覚を磨くために課する」

美しい音色は調和そのものだ。笛の音は自然に溶《と》け込み、響《ひび》き合うことで、こちらからあらゆるものごとに働きかけることが可能となる。

調和を操《あやつ》ることができれば、雨を呼び風を呼び、木の茂《しげ》り方、水の流れなどを読み、操ることが可能となる。

では、調和を操るとは何か。それは、自身の霊力がどこまで自然と共鳴できるかということになる。

これまで昌浩は、そういった事象を起こすために、呪文《じゅもん》を唱えて神の力を借りていた。それで問題はなかった。

しかし、神を呼ぶには相当の力を消耗《しょうもう》する。強大な敵と対峙《たいじ》するときならばいざ知らず、それほどのものではない何かのために一々神を召喚《しょうかん》するのは効率が悪い。

自身の霊力を磨き上げ、それに相応《ふさわ》しいものの考え方や人間性を身につけていけば、そこまで大きなものに頼《たよ》らなくても、木火土金水《もっかどごんすい》それぞれの精を使役《しえき》するだけで事足りるようになる。笛を吹《ふ》くのは、霊力を磨き上げるための砥石《といし》のようなものなのだ。

そして、砥石はひとつではない。

「基本の動きは毎日教えているが、昌浩はどうも視野が狭《せま》いきらいがある。ひとつのことにだけ目が行きがちで、あれでは簡単に隙《すき》を突《つ》かれる」

「ぐっ」

痛いところをつかれた顔をする物の怪である。

それは物の怪も常々思っていた。

ひとつのことに目が向くと、ほかがおろそかになって対応が遅《おく》れる。そういう性格なのだ。

そしてそのおかげで窮地に陥ったことが何度もある。

あれはあれで長所なのだが、長所は見方を変えれば短所になるものだ。とくに、直接的な戦《せん》闘時《とう》においては大変危険だ。

「いい意味で肩《かた》の力を抜き、必要最低限の力で最大の効果を生むのが神祓衆の戦い方だ。繊細《せんさい》な作業が苦手なら、得意ではない、程度まで引き上げないことには」

「ぐぬぬぬぬ」

反論ができない物の怪である。

物の怪を落とし、夕霧は腕《うで》を組んだ。

「まぁ、昌浩もあの安倍晴明の後継《こうけい》と謳《うた》われる実力の持ち主だ。いくらなんでも、無様なことにはならないだろうと思うが」

落とされた物の怪はひらりと着地し、半眼で夕霧を見上げた。

「無様なことだと？」

あまり聞きたくない気がするが、一応確かめておかなければならない。

「ああ。笛というのは面白《おもしろ》くてな。美しい音色は魔《ま》を祓《はら》うが、調和を乱す雑音は時に場の波動を壊《こわ》して良くないものを呼び寄せる」

「…………へぇ」

いささか頬《ほお》を引き攣《つ》らせる物の怪に気づかず、夕霧は思慮《しりょ》深く言い添《そ》えた。

「昌浩が稽古《けいこ》しているあの渓流《けいりゅう》の底にはたちの悪い水妖《すいよう》が棲《す》んでいる。あれを眠《ねむ》らせつづけるのも、我らが代々受け継《つ》いできた役目のひとつだ」

「は？」

「よほどのことがない限り目覚めはしない。あまり美しくない音を聞かせつづけないかぎりは心配ない」

「なに？」

「自然の調和が乱れるとそれに怒《おこ》って目覚める類のものだ。ごくたまに修行《しゅぎょう》をはじめたばかりの未熟者が襲《おそ》われるが……」

「待てこら」

「まぁ、もし万が一のことがあっても、昌浩なら大丈夫《だいじょうぶ》だろう。迂闊《うかつ》に引きずり込まれると厄介《やっかい》だが」

「そういうことは先に言え！」

慌《あわ》てて踵《きびす》を返しかけた物の怪だったが、夕霧に首根っこを摑《つか》まれて持ち上げられた。

「十二神将。あれの修行は俺たちに一任された。お前たちは手出し無用。昌浩もそう言っていたはずだが」

「ぐぬぬぬぬぬぬぬぬぬぬぬぬぬぬ」

唸るしかない物の怪である。

夕霧は深く息をつき、妻戸《つまど》を開けて庭に降りると、敷石《しきいし》の上に物の怪を置いた。

「ああ、それと……」

そうして夕霧が告げた台詞《せりふ》に物の怪は苦い顔をして幾《いく》つか言葉をかわし、やがてわかったと短く応じた。

床《とこ》に横たわってうつらうつらとしていた螢は、ふっと目を開けて小さく呟いた。

「あ……」

壺《つぼ》から飛び出したあの妖《あやかし》。

身重の山吹に襲いかかろうとした妖に、螢の体は考えるより速く動いていた。

印を組んでの防壁《ぼうへき》と攻撃《こうげき》。

霊力《れいりょく》を使わなければ、体の負担はあまりない。ずっと寝《ね》ていたおかげで多少回復したと感じていた力を根こそぎ持っていかれた。

同時に、胸の奥が悲鳴を上げて、気づけば大量の血を吐《は》いていた。

山吹の無事を確かめることもできずに、螢の意識は闇《やみ》に沈《しず》んだ。

あれは、捕《つか》まえられたのだろうか。本邸《ほんてぃ》には長老たちがいたはずだ。彼らのうちの誰《だれ》かがあれを退治たか、再び封《ふう》じてくれているといいのだが。

もし、あのまま野放しになっているのだとしたら。

「……私の前に、出てくるかな…？」

弱った人間は格好の餌食《えじき》だ。目の前で喀血《かっけつ》し倒《たお》れた螢を、もしかしたら狙《ねら》ってくるかもしれない。

誰かに近くにいてもらったほうがいいだろうか。

でも。

「……夕霧じゃないと…いやだなぁ…」

そばにいていいのは、ただひとりの現影《みかげ》だけなのだ。

けれども、昌浩に貸してやったから、我儘《わがまま》は言えない。

静かに深く息を吐き出して、交差させた両腕《りょううで》で目を覆《おお》いながら、螢は唇《くちびる》を笑《え》みの形にする努力をした。

きっとすごくいびつになってしまっているんだろうなと、鏡を見なくてもわかってしまうのが悲しかった。

◆　◆　◆

濁《にご》った緑色の激流の底で蠢《うごめ》いているものがあった。

突如《とつじょ》として水面が爆発《ばくはつ》し、水が噴《ふ》き上がる。

水面が大きくえぐられて、すぐに流れに呑《の》まれた。

しばらくして、飛沫《しぶき》をあげる激流の狭間《はざま》から、ぬっと腕が突き出てくる。

流れの中に鎮座《ちんざ》している岩を何とか摑み、溺《おぼ》れるようにしながら人影《ひとかげ》が這《は》い上がってきた。

「……し…」

片腕だけで何とか岩によじ登った昌浩は、手と膝《ひざ》をついてうめいた。

「…死ぬかと…思った…っ」

足に巻きついたものがなんなのか。果たしてあれがなんだったのか。実のところ昌浩はよくわかっていなかった。何しろ濁流《だくりゅう》の中は一寸先も見えない状態で、おまけに突然《とつぜん》引きずり込まれたせいでろくに息も吸っていなかった。

必死であがき、近づいてくる何かの妖気《ようき》だけを頼《たよ》りに狙いを定めて印を組む。水の中では叫《さけ》んでもごぼごぼいうだけで呪文《じゅもん》が呪文の体《てい》をなさない。

最後には手にした笛で足に絡《から》みついたものを殴《なぐ》って引き剝《は》がすという、陰陽師《おんみょうじ》としてはかなり情けない手でどうにか逃《のが》れた。

どうにか水から顔を出し、息を吸い込んだところでまた足に絡みつかれた。

――此《こ》の処《ところ》の水神《みずのかみ》…っ！

水底に引きずり込まれたのだが、寸前で唱えた召喚《しょうかん》の詞《ことば》がどうにか水神に届いた。

裂帛《れっぱく》の気合とともに刀印を振《ふ》りおろし、霊力で弾《はじ》き飛ばし、水神の助力が凄《すさ》まじい爆裂《ばくれつ》となって水を噴き上げた。

右手の笛を睨《にら》んで、昌浩はぜいぜいと息を継ぎながら肩を上下させる。

あの状態でも笛を手放さなかった自分を、いまこの瞬間《しゅんかん》全力でほめたい…っ！

「なんだったんだ…あれは…」

よろりと立ち上がり、辺りを見回す。

おそらく大分流された。

「……ええと…菅生の郷《さと》は…」

早くあの岩場に戻《もど》らないと。

「あんなのが…いるなんて…はじめに…何で…言ってくれ…なかったんだ…っ」

春の終わりが近いとはいえ、山の気温はまだまだ低い。

激流に呑まれて冷え切った昌浩は、全身ずぶ濡《ぬ》れのまま風にさらされて、歯の根が嚙《か》み合わない有様だ。

「…さ…さむ……っ」

とにかく、戻らなければ。

そろそろ夕霧が呼びに来る頃《ころ》だ。笛の稽古をしていたはずの昌浩が姿を消していたら、心配する。

「……や…」

昌浩は頭《かぶり》を振った。

心配してくれるならまだいい。修行に嫌気《いやけ》がさして逃《に》げ出した、などと思われたら目も当てられない。

名誉《めいよ》のためにも、意地でも、戻らねば。

昌浩がよじ登った岩から岸辺まで、一丈《じょう》近くの距離《きょり》がある。しかし、飛べない距離ではない。

「が…がんばれ、おれ……」

震《ふる》える体に力を込め、気力を総動員させる。岩のふちぎりぎりまで下がってから、助走をつけて全力で跳躍《ちょうやく》した。

が。

「どわっ！」

凍《こご》えた体は思った以上に萎縮《いしゅく》しており、思ったより飛距離《ひきょり》がのびず、昌浩は再び飛沫をあげて激流に沈んだ。

わっぷわっぷと溺れかかりながら岸にたどり着き、死に物狂《ものぐる》いで岸に上がった昌浩は、ががた震えながらしばらく動けなかった。

「…さむ…さ……」

こんなときに物の怪《もののけ》がいてくれたら、襟巻《えりまき》にするのに。

いや、それ以前に、紅蓮の灼熱《しゃくねつ》の闘気《とうき》でずぶ濡れの装束《しょうぞく》を乾《かわ》かしてもらう。でないと冗談《じょうだん》抜《ぬ》きで凍え死ぬ。

歯の根が噛み合わず、がちがちと音を立てている。頭に響《ひび》いてうるさいくらいだ。

こういうとき、何か良い術はなかったか。あったはずだ。出てこい、呪文とか、神咒《かじり》とか、真言とか、禁厭《まじない》とか。

寒さで朦朧《もうろう》としてくる頭を何度も振って、必死に考えるが、もはや限界だ。

そして。

「…………」

姿の見えない昌浩を探して渓流《けいりゅう》をくだってきた夕霧は、岸辺に手と膝をついて震えている昌浩を発見し、物の怪の言葉を思い起こしていた。

どうどういう水音が響く山中だ。それ以外に際立《きわだ》つ物音はない。

普段《ふだん》はゆったりと穏《おだ》やかに流れる空気が、どこか刺々《とげとげ》しく緊迫《きんぱく》している。風の起こす葉擦《はず》れの音や鳥のさえずりがまったく響いてこないのはおかしい。さえずりがないだけでなく、気配がまったく消えているのだ。

どうやら、久方ぶりにあの水妖が目覚めてしまったらしい。

気配を探《さぐ》る。水妖は水にもぐり、中断された眠《ねむ》りに戻ったようだ。が、まだ怒《いか》りの気配がそこかしこに漂《ただよ》っている。

渓流の中にある岩が濡れている。水に引きずり込まれてから一旦《いったん》岩に上がり、あそこから岸に飛び移ろうとして、届かずまたもや流れに落ちたらしい。

どうにか水妖を退けることはしたらしい。昌浩にそれだけの実力があることは、夕霧も知っている。

しかし、霊術《れいじゅつ》は扱《あつか》えても、基本の部分で足りていないものがありすぎるということが、よくわかった。

遠目にも震えているのがわかる昌浩を改めて見やった夕霧は、彼の右手に握《にぎ》られている篠笛《しのぶえ》を認め、半分感嘆《かんたん》し、半分呆《あき》れたような顔をした。

3

庵《いおり》の屋根に上った勾陣は、ぽてぽてと歩いてくる物の怪がいやに渋《しぶ》い顔をしているのを見て、胡乱《うろん》げに首を傾《かたむ》けた。

昌浩が起居に借りている小さな庵だ。

先日大雨が降ったとき、雨漏《あまも》りがして土間に水たまりができた。

板間は無事だったので昌浩は特に気にしていない。しかし、いくらなんでも土間の半分が水《みず》浸《びた》しになるのは問題だろう。

滞在《たいざい》している間は好きに使って構わないと小野家のほうから許可をもらっている。昌浩が修《しゅ》行《ぎょう》に出ている間は特にすることのない神将たちは、屋根の補修をすることにした。

その道具を借りに行ったはずの物の怪が、何も持っていないのを不審《ふしん》に思い、勾陣は屋根から飛び降りた。

「騰蛇、遅《おそ》かったな」

「ああ」

「道具はどうした」

「あ」

勾陣に問われるまですっかり忘れていた物の怪である。

両前足で器用に頭を掻《か》いて低く唸《うな》る物の怪をひょいと持ち上げ、目線の高さを合わせる。

「何をやっている」

「螢が倒《たお》れてひとしきり騒《さわ》ぎになったから、忘れた。すまん」

「ああ…」

瞬《まばた》きをした勾陣は、本邸《ほんてい》の方角に視線をやった。

「おかしな気配が邸《やしき》から出ていったな。何があった」

物の怪がざっとかいつまんで説明すると、勾陣の目が険しくなった。

「それは、大丈夫《だいじょうぶ》なのか」

「どれがだ」

封《ふう》じの壺《つぼ》の妖《あやかし》のことか。喀血《かっけつ》した螢のことか。水妖の眠る渓流で笛を吹《ふ》いている昌浩のことか。夕霧の課す修行のことか。

勾陣はひとつ瞬きをした。

「……この場合、全部だな」

「……実は俺も、そうかなと思った」

気にかかることだらけだ。でも神将たちは静観するしかない。

昌浩は、帰りたかったら帰っていいよと言っていたし、修行は神祓衆に一任した。

神将たちの出る幕はない。ここでの存在意義がないのも事実で、いっそ都の晴明の許《もと》に戻《もど》るというのもひとつの選択《せんたく》だ。

物の怪と勾陣だけが帰京しても、晴明は別に咎《とが》めないだろう。

それでも彼らが帰らないという道を選んだのは、どんなふうに昌浩が成長していくかを見届けるためだ。

帰ったとき、晴明につぶさに語れるように。

手出しはしないが、遠目に様子を窺《うかが》うことくらいはしてもいいだろうかと考えている。しかし、感覚が鋭《するど》くなれば、見られていることも勘《かん》づくようになるだろう。それはそれで気が散る要因になりそうだ。

物の怪は長い耳をそよがせた。

「螢は長くない。あれはもう、まずいだろう」

勾陣が目を半分伏《ふ》せ、おもむろに物の怪を屋根に放《ほう》り投げた。

物の怪が危なげなく屋根に着地すると、勾陣が軽く跳躍して追ってくる。

「いきなりはやめろ」

「神祓衆たちに聞かれたらまずい話をはじめるからだ」

近くに人影《ひとかげ》はなかったが、どこに彼らの目や耳があるかわからない。神祓衆は陰陽師《おんみょうじ》集団なのだ。

物の怪《もののけ》は右後足で首のあたりをわしゃわしゃと掻いた。

「そうは言うが、奴《やつ》らはみんなわかってる。どうにかして螢の延命をと、毎日毎日集まって合議してるくらいだ」

蟲《むし》に散々喰《く》われた臓腑《ぞうふ》は日々損傷がひどくなり、壊死《えし》した肉が崩《くず》れて体内で血が噴《ふ》き出しているのだ。術でそれらを抑《おさ》え込むのももう限界だという話だった。

小野家直系の血を引く者は長《おさ》である老人を除けば、いまでは螢ただひとり。山吹の胎《はら》に宿る子が産まれればようやくふたり。螢は生きて、その子を神祓衆の長に育て上げる意志を持っている。しかしそれも、彼女の命がもてばの話で、どんなに気力を振《ふ》り絞《しぼ》っても、宿体が壊《こわ》れてしまえばそこで終わってしまう。

体力も霊力《れいりょく》も気力も限界で、ぎりぎりのところで綱渡《つなわた》りをしている。それが螢の現状だった。

本邸を見やって、物の怪と勾陣は暗い気持ちになった。

螢の命が終わる未来は、なるべく遠いほうがいい。

神将たちは、たとえ彼女がこの数日に息を引き取ったとしても、実はそれほど打ちのめされることはない。

人間の寿命《じゅみょう》はとても短く、これまでにも幾《いく》つもの別れを彼らは経てきた。

螢との縁《えん》が浅いとは思わないが、そのときに彼女の死を悼《いた》むことはしても、ずっと嘆《なげ》き悲しみつづけるほどではないだろう。

そういう意味では、自分たちは薄情《はくじょう》だという自覚が神将たちにはある。

彼らの心を真実動かすのは、安倍晴明とその直系だけなのだ。

しかし、彼らは螢の身を案じている。

彼女に何かあったら、おそらく昌浩がひどく悲しんで打ちひしがれる。昌浩のそんな姿を見るのは嫌《いや》だと思う。だからできるだけ、生き存《なが》えてほしいと願っている。

これが彼らの本音だ。

「……赤子が産まれるのはいつ頃《ごろ》だろうな」

勾陣が呟《つぶや》くと、物の怪が渋面《じゅうめん》になった。

「夏だと言っていたが、夏の初めなのか半ばなのか終わりなのかは知らん」

その答えに、勾陣が苦笑《くしょう》した。

赤子が産まれたら、物の怪は小野家本邸に一切《いっさい》寄りつかなくなるだろう。安倍家でずっとそうしていたように。

物の怪がひとつ頭《かぶり》を振った。

「螢の容態は、昌浩には黙《だま》っておいてほしいと夕霧から言われた。必要だと判断したら、頃合いを見て奴が伝えるそうだ」

「ああ……」

沈鬱《ちんうつ》な面持《おもも》ちで勾陣が応じる。

「昌浩のことだ。聞いたら心配で、修行どころではなくなるだろうしな」

感じいる風情《ふぜい》の勾陣に、物の怪が半眼になった。

「そういう理由ならまだいい」

「は？」

思わず訊《き》き返すと、物の怪の顔が不機嫌《ふきげん》さを増していく。

「昌浩は視野が狭《せま》い。気がかりなことがあるとその傾向《けいこう》が強くなる。螢のことを聞いたら修行中にふとしたはずみで思い出し、それが原因でうっかり死にかねない、危険すぎる。……だそうだ」

勾陣は何度も瞬きをして、やがて呟いた。

「…………確かに」

悲しいかな、まったく反論できない。

この数ヶ月で昌浩の性格をここまで正しく把握《はあく》するとは、恐るべし神祓衆。

◆　◆　◆

とっぷりと陽《ひ》が暮れてから戻ってきた昌浩は、庵《いおり》の扉《とびら》を開けて土間に一歩入ったところで前のめりに倒れた。

「昌浩⁉」

慌《あわ》てた物の怪と勾陣が駆《か》け寄ると、土間にうつ伏《ぶ》せで倒れたまま、昌浩はかーっと寝《ね》息《いき》を立てていた。

「おそらく朝まで目を覚まさないだろうが、一応夕餉《ゆうげ》の支《し》度《たく》は頼《たの》んである。あとで取りに来てくれ」

顔を出した夕霧が、神将たちの顔を交互《こうご》に見る。

「明日は洞窟《どうくつ》の行に出る。五日ほど籠《こ》もるから、その間螢を頼む」

思いもよらない言葉に、神将たちは思わず言葉を失った。

白い髪《かみ》と紅《あか》い瞳《ひとみ》の青年は、自分と同じ色の物の怪の瞳をひたと見ていた。

「長が不在の郷《さと》は、ともすれば異形《いぎょう》のものに狙《ねら》われる。郷の者たちはみな手練《てだれ》だが、本来彼らを守る立場の螢は、へたをすれば先陣《せんじん》を切って打って出る」

自分がいれば彼女の盾《たて》となり守ることができるが、行に入ってしまうと万一の時駆けつけるまで時間がかかる。

「自分が出なくても大丈夫《だいじょうぶ》だと螢に思わせることができるのは、お前たちくらいだ」

神祓衆の陰陽師たちは強い。彼らを束ねるために亡《な》き小野時守は厳しい修行《しゅぎょう》を重ねて抜《ぬ》きんでた実力を備え、その兄の力になりたいと願った螢もまた、抜きんでた力を身につけた。

長とは、総領とは、神祓衆すべての者を圧倒《あっとう》し、従えられるだけの実力を持っていて当然。逆を言えば、小野家直系がかなわないものは、ほかの神祓衆たちにとって、命がけでもかなわないほどのとても恐《おそ》ろしい敵となる。

物の怪の尻尾《しっぽ》がぴしりと揺《ゆ》れた。

「いまは、誰《だれ》がついてるんだ？」

「氷知《ひじり》だ」

時守の現影《みかげ》だった男は、重い罪を犯《おか》したが、螢にそれをすべて許された。

彼はしかし、己《おの》れの命がまだあることを恥《は》じて、表舞台《おもてぶたい》から身を引いている。目だたないように息をひそめ、奥向きのことにひっそり従事していると神将たちは聞いていた。

「お前はそれでいいのか？」

こう問うたのは勾陣だった。対する夕霧の答えは明瞭《めいりょう》だ。

「俺を除いて、氷知より強い者はこの郷にいない。その氷知より、螢は強い」

それはつまり、螢より強い者は夕霧だけということか。

良かったなぁ昌浩、師は大事だぞ、強くなりたいなら強い者に師事しないとな。

庵に入ったところでぶっ倒《たお》れるほど疲労困憊《ひろうこんぱい》している昌浩に、物の怪は胸の奥で、慈愛《じあい》に満ちた言葉を投げかけた。昌浩がそれを喜ぶかどうかはわからないが。

「明日は夜明け前に呼びに来る」

片手をあげて踵《きびす》を返す夕霧を見送り、勾陣が昌浩の胴《どう》に両手を回して持ち上げた。だらんとのびた両手が土間に引きずられ、埃《ほこり》っぽくなる。

その間に物の怪が、丸めて壁《かべ》に立てかけておいた筵《むしろ》を広げた。都では大袿《おおうちぎ》をかけて眠《ねむ》るが、ここでは縫《ぬ》い合わせた布の間に藁《わら》を詰《つ》めたものをかける。

板間に上がる前に衣《ころも》についた埃を払《はら》い落とし、正体なく眠っている昌浩を筵に横たわらせて、藁入りの布をかけてやる。

目覚める気配はまったくない。しかし、よくよく耳を澄《す》ませば、昌浩の腹が鳴っているのが聞こえた。

「うーん。一応もらってきてやるか」

空腹過ぎて夜中に目を覚ますかもしれない。そのとき何もないのはさすがに可哀想《かわいそう》だ。

「そうだな」

腰《こし》を上げかけた勾陣を制し、物の怪が土間に降りた。

「いや、俺が行く。螢の様子も見たいしな」

物の怪が何の気兼《きが》ねもなく本邸《ほんてい》に入れるのは赤子が産まれるまでなので、勾陣は黙って送り出した。

昌浩が起居のために借りている庵は、小野家本邸の敷地《しきち》内にある。その敷地というのが、これがまた相当だだっ広い。

都の安倍家もかなり広いのだが、小野家はその三倍はあった。

郷は山を背負い、少し南に進めば海に出る。

昌浩が笛の稽古《けいこ》をした渓流《けいりゅう》の岩は、郷から四半刻ほど山に入ったところにあり、行のための洞窟はさらにその奥だろうかと物《もの》の怪《け》は考えた。

菅生の郷は、ほかの郷や里と交流があり、男衆の手による彫《ほ》り物や魔除《まよ》けの品、霊符《れいふ》などの道具、女衆が織った機《はた》や山で採れた山菜、木の実などを売って、必要なものを得ている。それとは別に、陰陽師《おんみょうじ》としての仕事もかなりの頻度《ひんど》で舞《ま》い込んでくるようだ。

晴明のところに様々な案件が寄せられるように、神祓衆たちを頼みとする者が多くいる。神祓衆は武闘《ぶとう》集団の一面もあるので、化生《けしょう》のものだけでなく、人間相手に戦うことも少なくないらしい。

物心つく前から体術を叩《たた》き込まれているので、郷の子どもはかなりの手錬だ。いまの昌浩では歯が立たないだろう。

夕霧はそれを充分《じゅうぶん》わかっているので、基礎《きそ》に重点を置いているのだ。

ここのところの昌浩は帰ってくると同時に気絶して、朝まで目を覚まさない。そういえばほとんど会話もしていないのだ。

成長痛に苦しむことはなくなったようだが、痛みを凌駕《りょうが》する睡魔《すいま》に襲《おそ》われているだけのような気もする。

昌浩の寝顔を思い出し、物の怪はふうと息をつく。

「がんばれよー」

ぽてぽてと歩きながら、物の怪はそっと呟《つぶや》いた。


とろとろと浮上《ふじょう》した意識の片すみで、見ていた夢の残像が弾《はじ》けて消えた。

瞼《まぶた》をあげると、暗い室《へや》をゆらめく橙色《だいだいいろ》の光がぼんやりと照らしていた。芯《しん》を短く切って炎《ほのお》を小さくした蠟燭《ろうそく》の灯りだ。

竹筒《たけづつ》の周りに和紙を貼《は》った燭台《しょくだい》が、室のすみに置いてある。蠟燭の炎が和紙越《ご》しに透《す》ける竹の模様を壁に映している。

籠目《かごめ》模様だ。

壁に踊《おど》っているような籠目をじっと見つめた螢は、そっと口を開いた。

「……ずっとついててくれたんだ、氷知」

灯りが届かないすみに、息をひそめて控《ひか》えていた白い髪の青年が、黙然《もくぜん》とこうべをたれた。

「そんなに遠くにいないで、もっと近くにおいでよ」

苦笑《くしょう》した螢が呼ぶと、氷知は静かに膝行《しっこう》してくる。

茵《しとね》の横に座し、氷知は視線を落とした。螢と目を合わせようとしない。

「氷知、ちゃんと私の目を見て」

命じるというほど強い語気ではなかったが、氷知は僅《わず》かに肩《かた》を震《ふる》わせた。

久しぶりに目を合わせた氷知は、罰《ばっ》せられるのを待っているようにも見えた。

しばらく彼を見つめていた螢は、のろのろと左手をあげた。

「私のこれを肩代わりしようなんて、決して思うなよ、氷知」

青年の目が反応する。

やっぱりなと胸の中で呟いて、螢は息を吐《は》いた。

「だめだよ。私の痛みも苦しみも、全部私のものなんだから。氷知にはやってもらわなければならないことがたくさんある」

あげた手の人差し指を立てて、天井《てんじょう》を見ながらひとつひとつあげていく。

「まず、昌浩の修行にかかりきりの夕霧の代わりに、長老たちが何を話しているかを毎日ちゃんと私に聞かせること」

「……は」

「郷で起こったこと、どんな些細《ささい》なことも私に報《しら》せること」

氷知は黙然と頷《うなず》く。

「時々騰蛇たちの様子を見て、何か不便がないか、必要なものがないか、世話をすること」

そんなものはないと言われそうだなと思ったが、気にしないことにした。

必要なのは、氷知に役目を与《あた》えることだ。

「それから……」

青年に目を向けて、彼女は静かにこう言った。

「兄様《あにさま》と私の代わりに、義姉《あね》様と子どもを守ること」

氷知がはっと息を呑《の》む。

螢は淡《あわ》く笑った。

「……さっき、夢を見てたんだ」

「夢、ですか？」

そうと頷いて、螢は切なそうに目を細める。

「兄様が出てきてくれて、たくさん話をしたよ」

時守が夢に出てきたのは久しぶりだ。あの雪の日以来。

彼は随分《ずいぶん》穏《おだ》やかな面《おも》持ちで、とても静かに語っていた。

螢のことを愛せなかった時守。けれども彼は、愛せなかったと思っていただけで、自分でもわかっていなかった心の奥では、ちゃんと愛してくれていた。

でなければ、最後の最後に泣いてくれはしなかっただろう。

螢に何度も詫《わ》びていた。詫びてももう遅《おそ》いと言いながら、それでも繰《く》り返し詫びて、己《おの》れの行いを悔《く》やんでいた。

時守は神に祀《まつ》り上げられた。夢に現れたのは、時守自身ではなかったのかもしれない。螢が会いたいと望んだから出てきた、望みが形になっただけのものだったのかもしれない。

それでも、会いたかったのだ。螢は、神になってしまった時守ではなく、ひとの時守に。もう一度だけ。

もしかしたら先祖が力を貸してくれたのかもしれないなと思ったが、そこまで優《やさ》しくないかなと考え直した。

そういえば、最近はあのひとに会わないなと気がついた。

すぐに会わなくても、じきにあのひとのところに螢が向かうことになるから、出向く必要がないだけかもしれない。

「ねぇ、氷知」

「はい」

天井を見上げて、螢はひとつ瞬《まばた》きをした。

「私……赤子の顔、ひと目だけでも、見られるかな……」

氷知の唇《くちびる》が、ほたるさま、と動く。もはや声にならないのだ。

「どっちだろう。若君かな、それとも姫《ひめ》かな。私ね、なんだか、若君のような気がするんだ」

「では、きっとそうなのでしょう。甥御《おいご》様ですね」

螢の勘《かん》は外れたためしがほとんどない。

時守様もそうだったなと、氷知の胸に去来するものがあった。

きょうだいでなかったら。きょうだいでさえなかったら。時守は長《おさ》として堂々と神祓衆をまとめあげ、螢はその右腕《みぎうで》として絶大の信頼《しんらい》を勝ち得ていただろう。

「うん……」

応じた螢は、本当に小さく笑った。

「……兄様に…似てるかな…」

それとも、母である山吹に似ているだろうか。

亡《な》くなった小野の両親に、どこか似通っていてくれないだろうか。

少しでいいから、螢の面差《おもざ》しに通じるところがあってほしいと願うのは、我儘《わがまま》か。

自分がいなくなったあと、螢という血を分けた肉親がいたのだと、その子が覚えていてくれるように。

「……まだ、あの子の現影《みかげ》が産まれてこないから…」

目を閉じたまま、螢が淡々《たんたん》と言葉をつなぐ。

「……それまでは、氷知が現影の代わりをするように……て…。……兄様が、言っていたよ」

「――――」

白い髪《かみ》の青年は、黙《だま》って頭を下げた。

物《もの》の怪《け》は、妻戸《つまど》の外でそれを聞いていた。

立ち聞きをするつもりはなかったのだが、たまたまとおりかかったら彼女の声が聞こえ、氷知の気配を感じたので、なんとはなしに留《とど》まってしまったのだ。

警戒《けいかい》しているわけではない。いまさら氷知が何かをするとは考えられない。

「………」

かりかりと耳の下を掻《か》いて、そっとその場を離《はな》れる。

厨《くりや》はどっちだったかなと、辺りを見回した物の怪は、ふと流れてきた風の中に化生《けしょう》の気配をかぎ取った。

耳をそよがせて剣呑《けんのん》に視線を走らせる。

菅生の郷《さと》は陰陽師《おんみょうじ》集団の住処《すみか》なだけあって、何重にも守られている。しかし、郷全体が結界などで覆《おお》われているわけでは実はない。要所要所に術を施《ほどこ》してあるだけだ。

時にはそれをかいくぐり、郷の奥まで入り込んでくるものもあるらしい。もっとも、そんなものは、己れが足を踏《ふ》み入れた地がどのようなところか、命をもって思い知ることになるそうだが。

安倍邸《てい》はそこまで徹底《てってい》していない。

「見習うべきかねぇ」

結界を張らないということではなく、侵入者《しんにゅう》に対する処遇《しょぐう》を。

ちなみにこのとき物の怪の頭に浮《う》かんでいたのは、能天気な雑鬼《ざっき》たちだった。奴《やつ》らは最近遠《えん》慮《りょ》がなくなってきた。どこかできちんと取り締《し》まらないと。

晴明も昌浩もなんだかんだであれらに甘いのだ。いまのところ無害だからいいものの、以前あれらが敵に操《あやつ》られて大変なことを引き起こした過去を、物の怪は忘れていない。

「……晴明も昌浩も忘れてそうだなぁ…」

下手をすると窮地《きゅうち》に陥《おちい》った当人である彰子自身も、きれいに忘れている気がしてしまった物の怪である。そしてその可能性を否定できない。むしろかなりの確率ではないだろうか。

螢もそうだが、人間という奴は、どうしてああも簡単に許せたり忘れたりしてしまえるのか。

自分や岦斎のことを簡単に許してしまった、晴明と昌浩。

彼らだけがそうなのではない。

きっと、深い傷を負ったことのある人間は、それを乗り越《こ》えたとき、とても優しく、強くなるのだろう。

先ほど感じた気配は、どうやら消えたらしい。

しばらく辺りを窺《うかが》っていた物の怪は息をつき、念のため郷を回ることにした。

夕餉《ゆうげ》を取りにいった物の怪が戻《もど》って来ない。

熟睡《じゅくすい》というより昏睡《こんすい》と表現したほうが相応《ふさわ》しい昌浩を横目に見ながら、壁《かべ》に寄りかかった勾陣は眉根《まゆね》を寄せた。

「騰蛇の奴、遅いな」

どこで道草を食っているのやら。

おそらく昌浩は、いまこの瞬間《しゅんかん》に敵襲《てきしゅう》があっても目覚めないだろう。さっきまでひっきりなしに鳴っていた腹の音もやんでいる。

身じろぎをするたびに掛布《かけふ》から肩《かた》が出るので、冷えないように引き上げてやる勾陣だ。

ここのところ昌浩は一日一食の朝餉のみ。粟《あわ》や稗《ひえ》を一緒《いっしょ》に炊《た》いた玄米《げんまい》に、青菜や木の芽などを入れた汁物《しるもの》。たまに川魚。ごくごくまれに、山で獲《と》れた鹿《しか》や兎《うさぎ》、雉《きじ》の肉などが出る。

体術の修練の際に木の実などが見つかると、許しをもらって口に放《ほう》り込むそうだが、それもそう頻繁《ひんぱん》ではないだろう。

そんな日々がつづき、もともと無駄《むだ》な肉はなかった昌浩なのだが、徹底的に絞《しぼ》られた。

毎日の修練で筋がつき、さらに引き締まった感がある。身体《からだ》は鍛《きた》えすぎると重くなりかえって動きが鈍《にぶ》るのだが、いまの状態は最善に近い。

神祓衆たちの意図として、まずは体術に適した身体づくりをさせている。

しぶとさと気力は充実《じゅうじつ》した身体から。彼らの狙《ねら》いは実にまっとうだ。

おそらく問題は、急激に作り変えられた身体に、昌浩の感覚がついていけていないことだろう。この数ヶ月で急激に背がのびたこともあって、昌浩は思ったように動けないもどかしさを感じているようだ。

この辺りは、夜明けとともに目を覚まして飛び出していき、帰ってくると同時に気絶する昌浩ではなく、それらに付き合いながら平然としている夕霧から聞いた話である。

「……………ぅぅ……」

「ん？」

昌浩が低く唸《うな》った。

勾陣が様子を窺うと、昌浩は苦悶《くもん》の表情を浮かべていた。

「……すみ……ま…せ……ぅう……むり……」

じたばたとあがきながら、しきりに訴《うった》えている。

「……や……それ……は………わぁ……ごめ…な………さ…っ……」

しばらくそれを眺《なが》めていると、笹《ささ》につつまれた強飯《こわいい》を持って物の怪が戻ってきた。ちなみに両前足で強飯を持ち、ひょいひょいと二足歩行してきた。

音をたてないように戸を閉めた物の怪は、昌浩がうめきながら手足を動かしているのを見て目を丸くした。

「どうしたんだ、こいつ」

「夢を見ているらしい」

「夢？」

頷《うなず》く勾陣の横に並んでしばらく昌浩を眺め、物の怪は片前足で目許《めもと》を覆った。

「……夢の中でまでしごかれるとは…」

不憫《ふびん》というか、健気《けなげ》というか、必死というか。とにかく涙《なみだ》ぐましいものがある。

「本当に……」

頷きながらも、勾陣は何か釈然《しゃくぜん》としない気分だった。

夕霧にしごかれているにしては、昌浩の言葉遣《ことばづか》いに妙《みょう》に違和感《いわかん》があるのだ。

気づいた物の怪が首を傾《かし》げる。

「どうした」

「いや、ちょっとな」

やがて昌浩は、力尽《ちからつ》きたように動かなくなった。額に脂汗《あぶらあせ》が浮かんでいる。

「頑張《がんば》れよ、晴明の孫」

手拭《てぬぐ》いで額を拭ってやりながら物の怪が呟《つぶや》くと、孫言うなと返ってきはしなかったが、昌浩の眉間《みけん》に太いしわが寄った。

物の怪と勾陣はそれを見て、笑いを噛《か》み殺した。

◆　◆　◆

4

竹三条宮に召《め》された安倍晴明は、母屋《おもや》で脩子と相対していた。

脩子の命で人払《ひとばら》いがなされ、膝《ひざ》がつきそうな距離《きょり》で顔を寄せる。

「せいめい、きょうもゆめをみたのよ」

「ほほう。どのような夢をご覧になったのです？」

脩子が至極真剣《しごくしんけん》な面持《おもも》ちなので、晴明もしかつめらしい顔になる。

無意識に視線を走らせて誰《だれ》もいないことを確かめてから、脩子は小さく言った。

「……おかあさまが、でていらしたの」

晴明は軽く目を見開いた。

幼い内親王《ないしんのう》はさかんに瞬《まばた》きをする。

「……このおもやで……おかあさまと、あつやすと、よしこと、わたしの、よにんで」

生まれたばかりの媄子《よしこ》を、みんなであやしていた。

近くに女房《にょうぼう》たちはひとりもおらず、御簾《みす》も蔀《しとみ》も上げて、とても明るい陽射《ひざ》しが簀子《すのこ》と廂《ひさし》を照らしていた。涼《すず》しい風がとても心地《ここち》よく、庭に咲《さ》いている花を弟とふたりで摘《つ》み取って、母と妹に渡《わた》した。

「……そこに…おとうさまが、いらして……」

脩子と敦康《あつやす》を両腕《りょううで》で左右に抱《だ》き上げて、嬉《うれ》しそうに笑っていた。父が嬉しそうだったから、脩子もとても嬉しくて、首に抱きついた。弟も真似《まね》をして抱きつき、そんなに力を入れられたらおとうさまは苦しいよと苦笑いをしていた。

両親と弟妹が一緒の時間は陽《ひ》が傾《かたむ》くまでつづき、やがて父が弟と妹を連れて母屋を去っていった。

母とふたりになると、母屋は急に薄暗《うすぐら》くなった。

あちこちにひらりひらりと仄白《ほのじろ》い明かりが漂《ただよ》いはじめた。それはとても不思議で、なんだか寂《さび》しくて悲しい光だと思った。

「……そうしたら、おかあさまが、たちあがられて……」

もう行かなければと、哀《かな》しげに紡《つむ》ぎ、脩子を抱きしめた。

そうして母は、階《きざはし》から庭に降りると、何度も脩子を振《ふ》り返りながら遠ざかっていった。

脩子は母を追いかけたかったが、足がどうしても動いてくれず、悲しくて悲しくてどうしようもなかった。

「なんどもなんども、およびしたのに……いってしまわれた……」

脩子の瞳《ひとみ》が大きく揺《ゆ》れる。しかし幼い彼女は決して涙を流さなかった。

「ねぇ、せいめい。おかあさまは、どうしていらっしゃるかしら」

夢の中で哀しそうだった。あの痛々しい面差《おもざ》しが、胸の奥に刺《さ》さったまま消えてくれない。

「ひとは、みまかると、とてもふかくて、くらくて、おおきなかわをわたるのだときいたことがあるわ」

「はい」

応じる晴明の脳裏《のうり》に、あの暗い川べりに留《とど》まる横顔がよぎった。

「現世《うつしよ》と幽世《かくりよ》の狭間《はざま》を流れる川……。それは、ふたつの界の境とされております」

脩子は真剣な面持ちで晴明に詰《つ》め寄った。

「おかあさまは、そのかわを……」

その言葉の裏に、もう一度だけ会いたいという脩子のひたむきな想《おも》いが見えて、晴明は一瞬《いっしゅん》息を詰めた。

老人の袂《たもと》を摑《つか》み、脩子は顔を歪《ゆが》める。

「おかあさまは……」

一度唇《くちびる》を嚙み、彼女は次にこう言った。

「……ぶじに…かわをわたられた…？」

脩子は膝の上で両手を握《にぎ》り締《し》めてうつむいた。

「……わたしが……かなしんでいたから……おかあさまをずっと…ひきとめてしまっていたのじゃ……ないか……て……」

自分が悲しんでいたために、行かなければならないのに、留めてしまっていたのでは。

こんなときまで我慢《がまん》をしている脩子が痛ましく、どうにかしてその心が軽くなるようにと、晴明は言葉を探した。

「ひとは、境界の川を渡る前に、最後にもう一度、愛する者の夢に現れるのです」

宿体から離《はな》れた魂《たましい》は、しばらくこの現世と幽世を行き来し、狭間を揺蕩《たゆた》う。そして、いよいよ境界の川向こうに旅立つ前に、眠《ねむ》りの中で愛する者に最後の別れを告げるのだ。

「四十九日と申しますが……皇后様は、少しだけ長くこちらに留まって、姫宮《ひめみや》様を見守っておられたのでしょう」

そして、脩子が都に戻《もど》り、娘《むすめ》の姿を見て帝《みかど》が気力を何とか取り戻したのを見届けて、ようやくあちらに渡っていったのだろう。

「じゃあ…おかあさまは、もうわらっておられるのね？」

晴明は少しだけ困った顔をした。確かめたわけではないので、そうだと言っていいものか。

すると、雑鬼《ざつき》たちが御簾をくぐって入ってきた。

「だいじょーぶだって」

「そうそう。ちっこい姫宮には俺たちがついているからな」

「きっとにっこにこで渡ってったって」

脩子の周りを囲んで、元気づけようとする三匹《びき》だ。

「ほんとうに？」

彼らをじっと見つめて呟き、次に彼女は晴明に目を向けた。

「せいめい、ほんとうに？」

晴明はううんと唸《うな》って腕《うで》を組んだ。

「参りましたな。さすがに境界の川向こうのことは、この晴明にも確かなことは……」

ふと言い差し、晴明はにんまりと笑った。

「姫宮様、今宵《こよい》の眠りにつかれる前に、ひとつ禁厭《まじない》を唱えていただけますか」

脩子は首を傾ける。

「これお前たち、そこに控《ひか》えている雲居殿《どの》に、筆と紙を用意してほしいと伝えてくれ」

「おう」

「任せろ」

「おーい」

雑鬼たちが御簾に駆《か》けていくと、簀子に控えていた風音が立ち上がった。

「そんな大きな声で呼ばなくても、聞こえてるわよ」

語気に苦笑がにじんでいる。

一旦《いったん》下がった風音は、すぐに硯《すずり》箱と料紙を携《たずさ》えてきた。

風音からそれらを受け取った雑鬼が運搬《うんぱん》役を務める。

晴明は料紙に、さらさらと何かを書きつけた。

「この禁厭を唱えて眠ると、会いたい者に会えるのです」

脩子の目がぱっと輝《かがや》く。

でも、と晴明はつづけた。

「この禁厭は、身罷《みまか》ってから何年も経《た》った者にしか聞こえないのです」

途端《とたん》にがっくりと肩《かた》を落とした脩子を、雑鬼たちがそっとなぐさめる。

晴明は優しく目を細めた。

「ですので、先日夢の中に現れたという、衣《ころも》を被《かず》いた男になら聞こえます。その男はきっと、川向こうのことを存じておりましょう。その者に尋《たず》ねれば良いのです」

朗《ほが》らかな口調でありながら、晴明の目の奥が何やら光っているように見える。

怪訝《けげん》そうに首を傾ける脩子に、御簾の向こうから風音が告げた。

「晴明殿の言うとおりよ。今宵その禁厭を唱えてごらんなさいな」

きっと、教えてもらえるだろうから。

脩子は、風音の声に隠《かく》しきれない笑《え》みがにじんでいるのに気づいた。

「……わかったわ。やってみる」

頷《うなず》くと、晴明はさらに相好を崩《くず》した。

退出した晴明が残していった禁厭を、脩子はじっと見つめていた。

その傍《かたわ》らに控える藤花は、去り際《ぎわ》の晴明と風音が目を合わせて、何やら意味ありげに笑っていたのを思い出した。

意味ありげというより、何かをたくらんでいるような面持《おもも》ちだった。

まさか脩子に何か良からぬことをしでかすようなことはないだろうが、晴明が残した禁厭が無性《むしょう》に気にかかる。

「姫宮様。晴明様が教えてくださった禁厭を、伺《うかが》ってもよろしいでしょうか？」

遠慮《えんりょ》がちに尋ねると、顔をあげた脩子は眉根《まゆね》を寄せた。

「かまわないわ。でも……」

「はい？」

ほら、と見せられて、藤花は脩子の手元の紙を覗《のぞ》き込む。

達筆で、幼い脩子にも読めるようにかな文字で記された禁厭。

ゆめどののおおかみ、ゆめどののおおかみ、すみやかにほどほどのおんみょうじにあわせたまえ。

目をしばたたかせる藤花に、脩子は真剣《しんけん》に考え込んだ。

「ほどほどのおんみょうじ…て…どういうい みなのかしら……?」

「……さぁ…」

困惑《こんわく》する藤花と顔を見合わせて、脩子はしきりに首をひねった。


安倍邸《てい》に戻った晴明は、藤花から文《ふみ》を預かったと十二神将天一に聞かされた。

「おや? 嵬殿に頼《たの》むと言っておられたような気がするが……」

伊勢ではいつも嵬が伝書鴉《がらす》として文を預かり、都の昌浩のところに飛んでいた。

天狗《てんぐ》の撥《は》ね逃《に》げに合ってから渋《しぶ》るようになったとの話も耳にしていたが、風音に言い含《ふく》められて役目を続投していたと思ったが。

端座《たんざ》した天一は、困惑した面持ちで首を傾《かたむ》けた。

「それが、昌浩様がいま都に不在だと聞き及《およ》び、詳《くわ》しい居所が嵬にはわからないから、と仰《おお》せでした」

そして藤花は、もし昌浩に届けることが難しいなら、そのまま破棄《はき》してくれてかまわない、と言い添《そ》えた。

晴明は腕組《うでぐ》みをした。

「ふぅむ……」

晴明は居所を知っている。播磨国赤穂郡の菅生の郷《さと》だ。嵬もそれは知っているが、菅生の郷の詳しい所在がわからないのだろう。晴明とて、おおよその位置をなんとなく予想しているだけで、実際に足を踏《ふ》み入れたことはない。

届けることは難しくはないが、届いた文を昌浩が読む時間が、果たしてあるのだろうか。昌浩は修行《しゅぎょう》のために播磨に留《とど》まったのだ。都にいるときとは生活の仕方も何もかも違《ちが》っているだろう。

余談だが、安倍家の吉昌《よしまさ》の許《もと》には神祓衆の長《おさ》から直々に、修行となったら手加減はしかねる、不慮《ふりょ》の事故で命を落とすこともあるので、覚悟《かくご》されたし、との通達があった。伊勢から帰邸《きてい》して息子《むすこ》からそれを聞かされた晴明は、昌浩も思い切ったことをしたなと驚《おどろ》き、成長したものだと感心し、ほんの少し寂《さび》しさを覚えた。

こうやってどんどん自分たちの手を離れて、己《おの》れの足で歩いていくのだ。小さかった成親や昌親が、成長して大人になったように。

天一がうつむいた。

「申し訳ありません、晴明様。彰子姫《ひめ》の願いとあって預かってまいりましたが、配慮《はいりょ》に欠けていました」

昌浩の現状を慮《おもんぱか》ることをしなかったと謝罪する天一の隣《となり》に朱雀が顕現《けんげん》し、晴明は半眼で見下ろされた。

わしはお前の主《あるじ》なんだがのぅと心中で呟《つぶや》きながら、天一の差し出した文を受け取った晴明は、思案顔になった。

「気にすることはない。わしも昌浩の様子が気になっていたからな」

菅生の郷には物《もの》の怪《け》と勾陣がいる。彼らがいるので心配はしていないが、どのような修行をしているのか興味があった。

長の言葉が大げさでないなら、毎日が命がけということになる。

「白虎か太陰、この文を……」

届けてくれといいかけた晴明の傍らに、十二神将六合が顕現した。

「俺が行く」

晴明は目を丸くした。

「ほ?」

「何か問題でも?」

抑揚《よくよう》のない語気で、表情のない面持ちが問うてくる。老人は軽く頭《かぶり》を振《ふ》った。

「いや。お前がいいなら、それでいいが…」

訝《いぶか》る晴明に、六合は嘆息《たんそく》まじりに言った。

「彰子姫だけでなく、風音も昌浩の身を案じているので、直接確かめてこいと、嵬が」

その場にいた全員が、ひとつ瞬《まばた》きをした。

「………そうか、鬼が」

「ああ」

応じる六合の面持ちに、僅《わず》かながら疲労《ひろう》の色がにじんでいるように見えるのは、おそらく晴明の気のせいではないだろう。

どのような応酬《おうしゅう》があったのか、大体の予想がつく。応酬といっても六合は沈黙《ちんもく》していて、一方的に鬼がまくしたてたに違いない。それこそ、口をはさむすきを与《あた》えないほどに。

腕組みをした朱雀が、心から同情していると言わんばかりの体《てい》で重々しく頷いた。

「目付けがいるのも大変だな、六合」

六合は応《こた》えないが、朱雀の言葉に反論する気もないらしかった。

「天貴《てんき》、あとで彰子姫に、確かに昌浩に文を届けたと言えるぞ。良かったな」

「ええ。ありがとう、六合」

微笑《ほほえ》む天一に黙《だま》って応じる六合だ。こういうとき、ほかの誰《だれ》かがこのような対応をしたら、俺の天貴が礼を言っているのにその無愛想《ぶあいそ》さはなんだ、と朱雀が凄《すご》むところだが、相手が普段《ふだん》からこの調子の六合なのでさすがに何も言わない。

「では……」

六合が文を受け取ろうとしたとき、吉昌が声をかけてきた。

「父上、よろしいですか」

「ああ、構わんよ」

晴明が応えると、天一が一礼し、隠形《おんぎょう》する。朱雀も同様だ。六合はすっと後ろに下がって隠形した。室内には六合の神気だけが残っている。天一と朱雀は、あのまま異界に戻《もど》ったようだ。

父親の前に腰《こし》を下ろした吉昌は、深々と息をついた。

「来るなりため息をつくな。わしが何かしたか」

目をすがめる老人に首を振って見せ、吉昌は眉間《みけん》にしわを寄せた。

「……彰子様のことを、どうしたものかと」

晴明の表情が引き締《し》まる。

まだ伊勢に滞在《たいざい》していた頃《ころ》、左大臣藤原道長から、晴明に文が届いた。表向きは皇后定子の逝去《せいきょ》を知らせるものだったが、書かれていたのはそれだけではなかった。

都に戻り次第《しだい》、彰子を安倍邸から別の邸に移す。そして名を変え、家柄《いえがら》も財力も申し分ない公達《きんだち》に嫁《とつ》がせることにしたので、そう伝えておくように。

どうするかという問いではなく、もう決定したことを通告する文だった。

晴明はそれを彰子にそのまま伝えた。左大臣の命は絶対だ。

それを聞いた彼女は凍《こお》りついた面持ちで息を呑《の》み、しばらく沈黙して、思いもよらないことを言った。

——私はこのまま女房《にょうぼう》として、姫宮様にお仕えします
晴明は思う。あれは、苦肉の策だったのだ。

父の命令に逆らえば、彰子自身だけでなく安倍家にも累《るい》が及ぶ。しかし彼女は、父の決めた相手と結婚《けっこん》することを決して受け入れられなかった。

運命を受け入れた過去がある。だが、その運命は変わった。

そして彰子はひとつの望みを持った。ずっとこのまま安倍家にいて、いつかここが本当の意味での自分の家になる日がきてほしいと。

けれどもそれは持ってはいけない望みだったのだと、いまさらながらに思い知らされたのだ。

だから彼女は、自ら選んだ。これからどう生きていくのかを。

脩子が許してくれるなら、彼女の女房として仕える。相手が内親王であれば、さすがに左大臣道長も迂闊《うかつ》なことはできない。

何よりも、彰子自身が、脩子のそばを離《はな》れたくないと強く想《おも》った。嘘偽《うそいつわ》りのない本音だ。そして脩子も、それを望んでいた。

晴明は道長に、彰子の選択《せんたく》と意思を伝えた。道長は、そういうことならばと、不承不承でそれを認めた。

ひとつだけ、晴明は方便を使った。

左大臣からの文《ふみ》の内容を伝える前に、都に戻ってからも女房として仕えたいと彰子は脩子に

願い、脩子はそれを了承《りょうしょう》した。ここで道長の命令に従うと、彰子は脩子に嘘をついたことになる。それは脩子の不興を買うだろう、と。

これが覿面《てきめん》に効いた。

もし道長の怒《いか》りを買うようなことがあったらと老人のことをいたく心配する彰子に、彼は飄々《ひょうひょう》と言ってのけた。

——さて、この晴明も齢《よわい》八十を超《こ》えましてからいささか物覚えが悪くなりましてなぁ。左大臣様からの文のことをお伝えしたのが、姫宮様の女房となることが決まる前だったかあとだったか、とんと記憶《きおく》が……。

とぼける老人に、彰子は泣き出しそうな顔で、くすくすと笑った——。

「……昌浩にも、釘《くぎ》を刺《さ》さねばなるまいよ」

さすがに沈鬱《ちんうつ》な面持《おもも》ちで、晴明は重い息を吐《は》いた。

子どものままだったら、あのふたりはいつまでも夢を見ていられた。けれども、もう夢見ていられる頃を過ぎてしまったのだ。

しばらく目を伏《ふ》せていた吉昌は、隠形しているはずの六合に視線をやった。

「六合、ひとつ頼《たの》まれてくれないか」

寡黙《かもく》な神将が静かに顕現《けんげん》する。

居住まいを正し、吉昌は少し苦しそうにつづけた。

「これから私が言うことを、昌浩に伝えてほしい」

文はだめだ。形に残るものは。万が一の時、誰の目に触《ふ》れるかわからない。

六合が目で応じる。

吉昌は静かに言葉を選んだ。

左大臣の意向。彰子が安倍邸《てい》を出ると決意した理由。

そして、それを受けてどうしなければならないか、どうすることが最良の選択なのか、自分で考えて結論を出しなさい、と。

無邪気《むじゃき》に夢を見ていられる頃を、彰子は自分で終わらせた。次は昌浩がそれをする番だった。

六合が隠形し、神気が遠のいていく。

自身の選択と行いに打ちのめされたような面持ちの吉昌が、力のない声で呟いた。

「……私は、ひどい親です」

いまになって、諦《あきら》めろと、諦めることを選べと、突《つ》きつける形になってしまった。

息子《むすこ》のつらい心情を聞いた晴明は、苦笑《くしょう》した。

「お前より、わしのほうがよほどひどい」

だから、お前の分もわしがまとめて引き受けてやるさと、老人が目を細める。

笑おうとして失敗した顔で、吉昌は唇《くちびる》を歪《ゆが》めた。

「六合にも、ひどい役目をさせてしまいました」

「いいよ。あれもわしの式神《しきがみ》だからな」

そしてきっとこの役目は、寡黙で表情に乏《とぼ》しい六合が、一番適任なのだ。

◇　◇　◇

5

一晩眠《ねむ》ったおかげで少しだけ体力を取り戻した螢は、よいしょと身を起こした。

「こらこら、ちゃんと寝《ね》とれ」

見舞《みま》いにやってきた物《もの》の怪《け》が眉《まゆ》を吊《つ》り上げる。

螢は肩《かた》をすくめた。

「前から思ってたけど……騰蛇ってさ、過保護だよね」

物の怪は半眼になった。

「あ、ごめん。怒《おこ》った？」

「いや」

苦虫を百匹《ぴき》ほど噛《か》み砕《くだ》いてじっくり味わったかのような様子で、物の怪は唸《うな》った。

「昨日夕霧に、似たようなことを言われた」

螢は目を丸くして、こみ上げてきた笑いを喉《のど》の奥に追い返した。

「なるほどね。じゃあ、ここで修行《しゅぎょう》するのは互《たが》いにとっていいことなのかな」

「かもな」

物の怪は素直《すなお》に応じる。突き放せるようにならないと、いざというとき困るのは昌浩だ。

「じゃあさ、ちょっと頼まれてくれる？」

「なんだ」

「壺《つぼ》から逃《に》げた奴《やつ》、まだ見つかってないみたいなんだよね。何かのついででいいから、見つけたら封《ふう》じるか倒《たお》すかしてもらえると、助かる」

肩をすくめて、物の怪は目をすがめる。

「封じるか倒すかというのは、もはやついでと違《ちが》うだろう」

それ自体が目的ではないか。

指摘《してき》された螢は、ははははとわざとらしく笑った。

その面差《おもざ》しに血の気がまったくないのを見て取り、物の怪はついと目を細めて大仰《おおぎょう》に息をついた。

「……気には、かけておく」

「ありがとう」

またなと去っていく物の怪を見送って、螢はふうと重い息をついた。

勾陣が姿を見せないのは、もしかすると苛烈《かれつ》な神気が螢の体を損《そこ》なうのではと、懸念《けねん》しているからではないだろうか。

「たぶん大丈夫《だいじょうぶ》だと思うけど……」

十二神将最強の騰蛇は、あの白い異形《いぎょう》の姿になることで神気を完全に抑《おさ》え込めるのだ。対して勾陣は、隠形《おんぎょう》していてもほんの少しだけこぼれ出る。強すぎるからだ。

都を脱《だっ》するときはあれで苦労したんだったなと思い出し、螢はそっと笑った。

もう遥《はる》か昔のような気がする。昌浩に会いに都に行ってから、まだ一年も経《た》っていないのに。

昌浩や神将たちとはずいぶん長い知己《ちき》のようであるし、螢自身の周辺も激変してしまった。

「……もう少し、生きていたいなぁ…」

みんなと一緒《いっしょ》にいたい。たぶん男の子が生まれるから、名前も考えないと。できたら時守から一字もらって、山吹と相談して、長老たちにも意見を聞いて。

ああそれから。

「昌浩がすごく大事にしてる姫《ひめ》にも、いつか会ってみたいな……」

結婚《けっこん》はできないと言っていた。きっとどうにもならない事情があるのだ。どういう事情なのかまではわからないが。

両手を何度か開閉させる。

術が使えるのは、あと二、三度くらいか。それを超えたらきっと体がもたない。

氷知から、夕霧と昌浩が今日から五日間の洞窟《どうくつ》の行に入ると聞いている。

あれは結構きついのだ。

「がんばれ、まさひろ」

彼らが帰ってくるのは五日後。

それまでに、少しは体力を回復しておかなければ。

三刻ほどかけて分け入った山の中腹に、まるで傘《かさ》のような岩が覆《おお》いかぶさるように下がっている洞窟があった。

入り口は狭《せま》く、幾《いく》つもの岩が入り組み迷路《めいろ》のようになっていて、空間が広がったと思ったときには光がまったく射《さ》さなくなっていた。

洞窟に入る前に命じられていたので、昌浩は暗視の術を己《おの》れにかけている。夕霧も同様だ。完全な闇《やみ》でも見えるが、それにしても暗い。

耳を澄《す》ませると水の音が聞こえてきた。奥からだ。

水の気配もする。洞窟内の空気はやや湿《しめ》っており、常に水があることが窺《うかが》えた。

「ええと、湧《わ》き水…？」

壁《かべ》に手をついて昌浩が呟《つぶや》くと、夕霧が頷《うなず》いた。

「こっちだ」

洞窟内を進む。ごつごつとした地面は硬《かた》く、夕霧の足跡《あしあと》から外れると草鞋《わらじ》の爪先《つまさき》に水が触れる。僅《わず》かな高低差で小さな流れになっているようだ。

何も持たずにここにきたということは、きっと断食《だんじき》しながらの行なのだろう。水は湧いているから心配ないとして、いよいよ空腹でどうしようもなくなったらどうするのか。水があるということはきっと生きものがいるはずだ。極限になったらそれを捕《つか》まえるとか、そういうことだったりするのだろう、たぶん。

想像するだけで胃のあたりがざわつく。あまり極限になりたくない。水だけで人間はどこまで大丈夫なのか、いい機会だから限界に挑戦《ちょうせん》してみようじゃないか。

かなり空気が重くなった。相当奥まできたようだ。

「ここで五日間過ごす。その間、ひとことも言葉を発してはならない」

「えっ？」

さすがに驚《おどろ》いて声を上げると、夕霧は淡々《たんたん》と言った。

「いまのも言葉のうちに入る」

「ええっ!?」

では、五日間黙《だま》ったままなのか。

すると、昌浩の心の内を読んだようにこうつづいた。

「黙っているだけではだめだ。心のうちの言葉も発してはならない」

昌浩は胡乱《うろん》げに眉根《まゆね》を寄せた。

「ええと、つまり…？」

「頭の中でものを考えることもだめだ」

「……」

昌浩は思った。

無理だろう。

つまるところこうやって、無理だろうと思うことも駄目《だめ》だという話か。

「……いや、でも、思うのは、止められないというか…」

「代わりに」

座るように促《うなが》され、昌浩は乾《かわ》いていてなるべく平らな場所を探し、腰《こし》を下ろした。

そのすぐ近くに夕霧も座る。

「ずっと大祓詞《おおはらえことば》を唱えつづける。何かに集中していれば、心のうちで言葉を発する余力はなくなる」

「ああ…。て、祝詞《のりと》も言葉なんじゃ？」

疑問を口にすると、夕霧はひとつ頷いた。

「祝詞は別だ。神の言葉はいい。これはひとの言葉を禁ずる行だ」

「あ、なるほど」

素直に感嘆《かんたん》する昌浩だ。が、すぐに気づいた。

「……え？　ずっと？」

「そうだ」

「いつまで？」

こんこんと、水の湧き出る音がする。

「いつまでかは、自然の声を聞いていればおのずとわかる」

「………」

昌浩は思った。

これなら笛の稽古《けいこ》のほうがまだましかもしれない。

しかし、そんな泣きごとは言っていられないので、夕霧とともに昌浩は暗闇《くらやみ》の中で目を閉じ、大祓詞を唱えはじめた。

ひたすらひたすら唱えていると、頭が真っ白になっていく。

しばらく唱えつづけていた昌浩は、胡坐《あぐら》を組んだ足に何かが触《ふ》れたように感じて、うっすらと瞼《まぶた》をあげた。

なんだろう。

視界にちらちらと白いものが揺《ゆ》れている。

え？

思わず目を開けた昌浩は、ぎょっとして叫《さけ》んだ。

「うぇぇぇぇぇっ!?」

洞窟の岩肌《いわはだ》に、白い手が何百本も何千本も生えて、それが水に漂《ただよ》う海藻《かいそう》のようにゆらゆらと動いているのだ。

さすがに硬直《こうちょく》した昌浩の耳に、大きな嘆息《たんそく》が突《つ》き刺《さ》さった。

「……………あ」

数えきれない手がふっと掻《か》き消える。

しまった。叫ぶのもひとの言葉だ。

渋面《じゅうめん》の夕霧が口を開く。

「……ああいう罠《わな》は、この手の行につきものだ」

「……うぅぅ」

そうだった。予測してしかるべきだったのに、罠にかかってしまった。

腕《うで》を組んだ夕霧は、何かを思案しているようだった。

やがて彼は立ち上がると、洞窟から出るように昌浩を促した。

言われた通りに出た昌浩は、眩《まぶ》しさに目を細めた。短い時間だったのに、すっかり目が闇に慣れていた。

目をしぱしぱさせていた昌浩に、夕霧は隣《となり》にそびえるひときわ険しい山を示した。

「あれは、入らずの山とされている」

「入らずの…？」

あの山は特殊《とくしゅ》で、場が狂《くる》うのだ。昔天から星が落ちてきたらしく、方向感覚がおかしくなってしまうため、入ると神隠《かみかく》しに遭《あ》って戻《もど》れなくなるとされていた。

ほかの里人も、菅生の郷《さと》の者も立ち入ることは戒《いまし》められている。

だが、ひとが立ち入らないということは、山の幸が豊かだということでもあるため、こっそり入山するものが少なくない。

ここ最近、そうやって分け入った者たちが、恐《おそ》ろしい唸《うな》りをあげる妖《あやかし》に遭遇《そうぐう》し、命からがら逃《に》げのびるという事件が立てつづけに起こっている。

ともするとその妖があの山から里に下りてくるのでは。近隣《きんりん》の里人は恐れ戦《おのの》き、つい先日神祓衆たちに正式な妖退治の仕事が入った。

「それは大変だ」

神妙《しんみょう》な顔をする昌浩に、夕霧が複雑そうな目をした。

「その仕事を、お前にさせようという話が長老たちから出ている」

「えっ？」

思いがけない話に、昌浩は目をしばたたかせた。

「お前の技量を見極《みきわ》めるのにちょうどいい、ということだ」

しかし、それはあまりにも昌浩にとって分が悪いだろうと夕霧が主張し、洞窟《どうくつ》の行を五日間行うことにさせてもらったのだ。が。

昌浩は両手を握《にぎ》り締《し》めた。

「やる。化け物退治。俺、頑張《がんば》る」

あんな洞窟でひたすら祝詞を唱えるより、化け物退治のほうがいい。

夕霧が黙然《もくぜん》と昌浩を見やった。そういうだろうと思った、と、目が雄弁《ゆうべん》に語っている。

彼は嘆息まじりに言った。

「夕刻までに片をつけることはできるか」

昌浩は太陽の位置を確かめた。

夏に入ったばかりの太陽は、だいぶ高い位置にある。山奥なので気温は低い。沈《しず》むまで三刻程度か。

「……夕刻までは、ちょっとわからないけど」

その妖に、うまく行き合えるかどうかで決まる。

「でも、やれると思う」

頷《うなず》いて、昌浩は両肩《りょうかた》をぶんぶん振《ふ》ると、勢いをつけて駆《か》け出した。

まっしぐらに駆けていく昌浩を見送りながら、夕霧は呟《つぶや》いた。

「だいぶ体が動くようになってきたな…」

思ったより距離《きょり》があったため、山に入るのに一刻近くかかってしまった。目で見た距離と実際の距離との違《ちが》いを、もう少し計算できるようにならないといけない。

整理された都の感覚で山を歩くと、痛い目を見る。

木々の隙間《すきま》から太陽の位置を確認《かくにん》する。妖を探して片をつけるのにかけられる時間は一刻か、長引いても一刻半だ。

「問題は…」

この広い山でどうやって妖を探せばいいのかだ。

「あんまり奥に入りすぎると、出られなくなりそうだし……」

恐ろしい唸りを発するという妖。妖なのだから、出没《しゅつぼつ》するのはやはり夜だろう。

そう考えて、昌浩は立ち止まり、瞬《まばた》きをした。

「いや、待てよ？　山の幸を採りにきた里人が妖に出くわしたんだよな？」

山菜採りは陽《ひ》のあるうちにするものだ。ということは、妖は昼間出ているということになる。

「珍《めずら》しいな…」

大概《たいがい》は夜行性なのだが。

「えーと、隣の里から入るとしたら、こっちのほうからだよな」

あたりをつけて進むと、幾《いく》つかの獣道《けものみち》があった。そのうちのひとつを適当に選び、奥に入っていく。

急勾配《きゅうこうばい》で足場も悪く、気をつけないと転げ落ちそうだ。踏《ふ》み固められている場所を瞬時《しゅんじ》に判断して足を運び、ひとや獣がとおったあとを進む。

「あ、あれって山芋《やまのいも》かな？　秋になったら採りにこよ」

蔓《つる》と葉の形状で判断し、うきうきと目を輝《かがや》かせる。菅生の郷にきてから何度か食べた。皮を剝《む》いて擂《す》ると粘《ねば》り気が出て、強飯《こわいい》にかけて食べるのがおいしいのだ。

自然に生えているもので、山に入って採ってくると言っていたのを思い出す。入らずの山というくらいだから、多少の侵入者《しんにゅう》があるとはいえ、手つかずの部分が多く山菜が豊富なのだ。

あれは、蔓の太さから考えて、相当大きく長いだろう。場所を覚えておかないと。

「目印に布とか巻いておいたほうがいいかな…」

何しろ修行《しゅぎょう》がきついので、食事が唯一《ゆいいつ》の楽しみだ。その食事も、ときには食べずに半ば昏倒《こんとう》する日が少なくない。

あれを平気でこなせる日が、果たして来るのだろうか。

「うう、気が遠くなりそう…」

呟きながら、かなりきつい道程の山道をここまで難なく進めていることに、昌浩は気づいていなかった。

この二ヶ月ほどで、昌浩の体力は本人が思っている以上に底上げされているのだった。

山菜のありそうな場所を選びながら進んで気配を探《さぐ》る。太陽は徐々《じょじょ》に傾《かたむ》きかけている。

「何もいないな」

ここまで出会ったものは野鳥と狐《きつね》と鼬《いたち》と兎《うさぎ》。鹿《しか》や猪《いのしし》もいるだろうが、足跡《あしあと》と糞《ふん》を見つけただけで遭遇はしていない。

さすがに額が汗《あせ》ばんでくる。足を止めて額を袖《そで》で拭《ぬぐ》い、昌浩は天を見上げた。陽の傾きを確かめる。傾きが大きくなってきている。

このままだと、見つからないまま夕刻になってしまう。

いっそ術でおびき寄せるか。相手がどのような妖《あやかし》かわからないのでできるだけ体力と霊力《れいりょく》を温存させておきたかったのだが、このままでは無意味に時間ばかりが過ぎていく。

「よし」

拍手《かしわで》を打って、昌浩は呼吸を整えた。

そのときだった。

奥のほうから、腹の底に突き刺さるような重い唸りが聞こえたのは。

昌浩ははっと息を呑《の》んだ。

木々の狭間《はざま》に、黒いものが見え隠《かく》れする。

身構えて息を整える。草や葉を掻き分けながら、塊《かたまり》が突進《とっしん》してくるのがわかった。

獣の唸りが轟《とどろ》いた。

同時に、茂《しげ》みの中から大きな塊が飛び出してきた。

「……猪《しし》⁉」

出てきたのは、昌浩より大きな体軀《たいく》の猪だった。山の主と言ってもいいだろう。

それが雄叫《おたけ》びをあげながら突進してくる。まさに猪突猛進《ちょとつもうしん》だ。

猪の突撃《とつげき》を避《よ》けて身を翻《ひるがえ》した昌浩は、体勢を立て直して次の攻撃《こうげき》に備えた。が。

「…あれ？」

猪は、わき目もふらずに山を駆け下りていく。

「おーい？」

まるで自分のことなど眼中になかったかのようだ。

「追われてたみたいだったけど…？」

一体何から逃げてきたのだろう。

不審《ふしん》に思った昌浩が猪が出てきた繁《しげ》みを振り返ると、ぬっと突き出てきたものがあった。

「――――」

昌浩は、思わずきょとんと瞬きをした。

鼻面《はなづら》だった。

茂みの中から突き出た鼻が、ふんふんと臭《にお》いを嗅《か》いでから一旦《いったん》下がる。

そして。

灰色の塊が雄叫びをあげながら、茂みの中から躍《おど》り出た。

下がろうとした昌浩は、踵《かかと》を木の根にとられて仰向《あおむ》けに転がる。

灰色の塊がのしかかってきて、昌浩は反射的に印を組んだ。

「オ…」

呪文《じゅもん》を唱えかけた昌浩の声を、盛大な泣き声が掻《か》き消した。

「おおおおおおおーん」

「え…?」

鳴き声ではなく、泣き声だった。

大きな塊が昌浩の上でおんおん泣いている。

「鳴くんじゃなくて、泣いてる……?」

首をもたげてのしかかった塊をよくよく見た昌浩は、目をしばたたかせた。

見覚えがある。

灰色の毛並み。尖《とが》った鼻に三角の耳。大きな爪《つめ》と長い尻尾《しっぽ》。四つ足の、ひとが乗れるほど大きな体軀。

そして、おんおん泣くこの声に、確かに聞き覚えがある。

「……………たゆら?」

信じられない思いで呼びかけると、灰色の妖狼《ようろう》は涙《なみだ》をぼろぼろこぼしながら縦にぶんぶん首を振《ふ》った。

「良かった…っ！　お前に会えるなんて…っ、本当に、本当に……っ」

「いや、あの」

「こんなところで、まさに神の、大蛇神《おろちのかみ》の救い…っ」

「ちょっと、重いんだけど」

おんおん泣きつづけるたゆらを全力で押しのけようとするが、重い妖狼はびくともしない。

「いい加減どいてくれ、苦しいから！」

たゆらは目をぱちくりさせると、ああそうかとどいてくれた。

「比古《ひこ》にもいっつもこんなふうに乗ってるのか」

「するか。比古が潰《つぶ》れたら大変だ」

じゃあ俺はいいのかと、昌浩は半眼になった。

たゆらをよく見た昌浩は、以前より痩《や》せているような気がして首を傾《かし》げた。

「たゆら、なんでこんなところに？」

妖狼は頭《かぶり》を振った。

「それより昌浩、ここはどこなんだ」

「え…？　播磨の、赤穂郡だよ」

それを聞いたたゆらは、えっと耳を立てた。それまでしょげたように寝《ね》ていたので、ぴょんと立ち上がったように見えた。

「播磨？　赤穂？　そんなばかな」

自分は奥出雲《いずも》にいたのだと、たゆらが語る。

数日前にひどい竜巻《たつまき》が起こり、比古が飛ばされないようにと、岩と岩の間に避難《ひなん》させ、その入り口をふさぐようにうずくまっていたのだという。

風が強くて体が持ち上げられ、慌《あわ》ててじたばたと辺りの木や岩にしがみつこうとしたが、届かなかったのだ。

「気づいたら、暗い闇《やみ》の中にいて……」

小さな白い亀《かめ》がどこかからやってきたかと思うと、ここではありませんよと教えてくれたという。

昌浩は瞬《まばた》きをした。

「白い、亀？」

たゆらは首を傾げた。

「知ってるのか？」

「うん、ちょっと。……で？」

「で、光が見えて、急いで比古のところに戻《もど》らなければと駆《か》け出したら、いつの間にかこの山の中にいたんだ」

後ろのほうで亀が何やらひどく慌てていたようだったが、気が逸《はや》っていたたゆらはそのまま走ったのだ。

昌浩は頭を掻いた。

「ああ……それは……」

その白い亀は、迷い込んだ者をもといたところに案内してくれるのだ。

おそらくたゆらは出口を間違《まちが》えてしまった。亀はそれを止めようとしたのだが、間に合わなかったのだろう。

妖狼はうなだれた。

「どこなのかもわからなくて、山を下りようとしてもどうしてもぐるぐる回って同じところに出てしまう。たまにひとに遭遇《そうぐう》しても、悲鳴を上げて逃《に》げていくし……」

「まぁ…そうだろうねぇ…」

こんな妖狼が突然出てきたら、里人は一目散に逃げ出すだろう。

「夕霧が言ってた、場が狂《くる》う、てこういうことかぁ」

おそらくこの山は、なんらかの条件が重なると簡単に界の狭間につながってしまうのだろう。

入らずの山にされるわけだ。

「比古のところに戻らないと…。きっととても心配している」

なのに、どこをどう行っても同じところに戻ってしまうと、ぐすぐすと洟《はな》をすする妖狼の首を軽く叩《たた》いて、昌浩は笑った。

「わかったわかった。一緒《いっしょ》に来いよ。出られると思うから」

「本当か」

「たぶん」

たゆらが山から出られなかったのは、得体の知れないものを郷《さと》に入れないための術がかけられているからではないかと、昌浩は推測した。

界の狭間《はざま》には様々なものが入り込む。いずこからかやってきたそれらがこの山に出て郷に下りてきてしまわないように、そして元いたところに帰っていくように。

「あ、でも。また界の狭間を通ったら奥出雲に帰れるだろうけど、どうする？」

たゆらは身震《みぶる》いした。

「いい。どこに出るかわからない狭間を抜《ぬ》けるより、陸伝いに出雲に帰る」

時間はかかるが、確実に帰れるほうを選ぶたゆらだ。

歩き出しかけた昌浩に、たゆらが乗れと言ってくれたので、ありがたく応じた。

「この道をまっすぐ降りるんだ。険しいから気をつけて」

「心配するな。出雲はもっと険しいところがたくさんある」

そうだったなと、あの頃《ころ》のことを思い出す昌浩だ。

「比古は？　元気にしてるのか？」

器用に斜面《しゃめん》を降りていくたゆらに尋《たず》ねると、妖狼は頷《うなず》いた。

「元気だ。時々道反《ちがえし》の守護妖たちが様子見に来る」

奥出雲の郷の者たちとも、少しずつ交流しているらしい。

「比古はあのときより大きくなったぞ」

誇《ほこ》らしげなたゆらに、昌浩も負けじと言った。

「俺も背がのびたよ」

足を止めたたゆらが、背に乗った昌浩を顧《かえり》みる。

「……いや。まだ比古のほうが大きいはずだ」

「並んでみなきゃわからないじゃないか」

「いいや。絶対に比古のほうが大きい。そうでなければおかしい。我らの王が大きいに決まっている」

言い張る妖狼の顔がだんだん険しくなっていく。

このままだと癇癪《かんしゃく》を起こして振り落とされそうな気がして、昌浩は渋々《しぶしぶ》折れた。

「わかったわかった、九流《くりゅう》の王のほうがきっと大きいよ」

「わかればいい」

偉《えら》そうに頷くたゆらである。

そんな話をしている間に、気づけばふたりは入らずの山から抜けていた。

たゆらは来た道を振り返って目を丸くした。

「あんなに苦労したのに……」

硬《かた》い毛並みの背から降りた昌浩は、たゆらの首を叩《たた》いて苦笑《くしょう》した。

「だから言ったろ。ええと、出雲は西だから……あっちかな」

太陽の位置を確認《かくにん》した昌浩は、東の空に夜が訪《おとず》れかけているのを見て、少し慌てた。

「うわ。夕刻までって言われてたんだよ。まずい」

妖狼《ようろう》が首を傾《かたむ》ける。

「急いでいるのか？　なら、目的地まで乗せてやろうか。助かった礼だ」

「えっ、ほんと？　………あー、でもいいや」

一瞬誘惑《いっしゅんゆうわく》されそうになったが、こんな妖狼が急に出てきたら、神祓衆たちが有無《うむ》を言わさずに攻撃《こうげき》してきそうだなと思い、首を振った。

「それより、早く比古のところに帰って安心させてやれよ。きっと心配してる」

妖狼の尻尾《しっぽ》が大きく振れた。

「ああ。比古に何か、伝えることはあるか？」

瞬きをして、昌浩は考え込んだ。

言いたいことはたくさんあったはずなのに、いざとなると出てこないものだ。

「……いつかまた会おう、て」

「わかった」

応じると、たゆらは踵《きびす》を返し、疾走《しっそう》していった。

出雲の方角に消えていく妖狼の姿を見送った昌浩は、ふうと息をつく。

あんなのが泣きながら飛び出してきたら、そりゃあ徒人《ただびと》は恐《おそ》れ戦《おのの》くだろう。

「なんにせよ、厄介《やっかい》な化け物じゃなくてよかった」

早く菅生の郷に戻り、事の子細を報告しなければ。

「もっくんたちにも言わなきゃ」

きっとびっくりする。

久しぶりに物《もの》の怪《け》や勾陣と話ができるなと思うと、少し気持ちが軽くなる。何しろ毎日毎日毎日毎日ひたすら修行《しゅぎょう》で、会話をするより休息を取ることが最優先なのだ。

「うう、腹減ったな……」

朝から水しか飲んでいないのを思い出し、深々と息をついたとき。

昌浩ははっと息を呑《の》んだ。

「郷で……？」

何か不穏《ふおん》な気配が、山を越《こ》えた郷の方角で生じた。

6

昌浩が入らずの山に入ったばかりの時分に遡《さかのぼ》る。


小野本邸《ほんてい》の室《へや》で、螢はふっと目を開けた。

「……」

また夢を見ていた。

少しだけ気分がいい。

「お目覚めですか、螢様」

すみに控《ひか》えていた氷知が、目覚めたのに気づいて声をかけてくる。

螢は頷いた。

「うん。……何か、あった？」

氷知は小さく笑った。相変わらず敏《さと》い。

「大したことではありません。夕霧が一度戻《もど》ってきて、先ほどまた山に入っていきました」

「え？　洞窟《どうくつ》の行《ぎょう》は？」

訝《いぶか》る螢に、昌浩が入らずの山の化け物退治に向かわされた経緯《いきさつ》を語り、氷知はしかつめらしい顔をした。

「戻ってきたら仕切り直しをするそうですが、次は何をさせるかと長老衆が考えているところです」

天井《てんじょう》の梁《はり》を見上げて、螢が眉根《まゆね》を寄せた。

「うーん…。無言の行をさせたいんだよね」

「そのようです」

「じゃあ、山の社《やしろ》は？」

螢の提案に、氷知が頷く。

「ではそのように伝えて参ります」

立ち上がりかけた氷知を呼びとめて、螢は身を起こした。

「ちょっと外の風に当たってきてもいいかな？」

氷知の顔が渋《しぶ》くなる。

「少しだよ。邸《やしき》の周りを歩くだけだから」

ずっと横になっていると足腰《あしこし》が萎《な》えてしまうし、新鮮《しんせん》な空気を吸って陽《ひ》の光も浴びたい。

そう告げると、氷知は不承不承で許してくれた。

「空が色を変えはじめるまでですよ」

陽が傾いて暮色が広がる頃《ころ》には、随分涼《ずいぶんすず》しくなるのだ。

「うん」

氷知が出ていくのを待って、しっとりと汗《あせ》ばんでいる単《ひとえ》を着替《きが》える。

暑くもなく寒くもないのだが、嫌《いや》な汗がずっと止まらない。

洗いたての単の上に久しぶりに小袖《こそで》をまとって庭に降りる。自然の風が心地《ここち》よくて、静かに息を吸い込んだ。

少し歩くと、膝《ひざ》を折ってかがみ、室内に飾《かざ》る花を摘《つ》んでいる山吹と出会った。

「あ、義姉《あね》様」

走らないようにしながら近づいていく。山吹は螢に驚《おどろ》いて立ち上がった。

「螢様、横になっていなくては」

青ざめる彼女に、螢は小さく笑う。

「少し気分が良くなったから、散歩しに来たの」

そして螢は、大きくなった山吹のお腹《なか》を見つめた。

「ちょっと、触《さわ》ってみていい？」

「ええ、どうぞ」

壊《こわ》れものに触《ふ》れるようにそっと手をのばす。すると、彼女に応じたように胎《はら》の子が動いた。

「あっ、いま動いた」

目を瞠《みは》る螢に、山吹が微笑《ほほえ》む。

「きっと螢様のことがわかるのですね」

「そうなのかな。だったらいいいな」

早く生まれてきてくれないかな、でないと会えなくなる、と胸の中で呟《つぶや》いて、螢は目を閉じた。元気に、無事に産まれてくるようにと、そっと禁厭《まじない》を呟く。

「螢様、そろそろ風が冷たくなってきますから、お室にお戻りください」

気遣《きづか》う山吹に苦笑して頷《うなず》き、螢は首を傾けた。

「義姉様は？」

「私は、もう少し花を摘んで参ります」

庭に自生していたほたるぶくろが並んだざるを少し持ち上げる。

「私も行くよ。気分転換《てんかん》になるし」

「いけません。私が氷知様に叱《しか》られてしまいます」

慌《あわ》てて首を振《ふ》ると、山吹は少しだけ眉《まゆ》を吊《つ》り上げた。

「螢様には、この子をしっかりと育てていただかないと」

神祓衆の山吹は、自分の胎にいる子がどのような立場になるかを承知していた。自分は母親だが、育てるのは自分ではない。この子は小野家の次代を継《つ》ぐ者だ。

育てるのは小野家。自分は世話をするだけで、なんの権利もないと、山吹はとうに覚悟《かくご》していた。時守は彼女を大切にしてくれたし将来を誓《ちか》ってくれていたが、長老衆にそれを報告して許しを得る前に亡《な》くなってしまった。

当初山吹は、殺されたとされた時守のあとを追おうとした。しかし、胎に子が宿っていることに気づき、思い留《とど》まった。誰《だれ》にも相談できずにいたところに、時守の形見の品を氷知が密《ひそ》かに持ってきてくれた。

彼女は氷知に懐妊《かいにん》していることを打ち明けた。それが氷知を凶行《きょうこう》に駆《か》り立ててしまうなど、思いもしなかった。

彼女がすべてを聞かされたのは、一度は追われた夕霧が戻ってきて、時守の死の真相が明らかにされた後だった。

彼女は己《おの》れの言動が氷知に罪を犯《おか》させたのだと知り、命をもって償《つぐな》おうにも胎の子を思えばそれもできず、一時は自暴自棄《じぼうじき》になった。

そんな彼女を、時守の妻として小野邸《てい》に迎《むか》えると決めたのが螢だ。さらに、忘れ形見となる子が神祓衆の次代長《おさ》であり、自分はその後見となり責任をもって育てると宣言して、長老衆を納得《なっとく》させた。

育てるとは言っても、陰陽師《おんみょうじ》として、神祓衆の長として鍛《きた》える、という意味で、山吹から子どもを取り上げるわけではないと、螢は山吹に告げた。父親のいない子だから、せめて母親である山吹はずっとこの子のそばにいてやってほしいと、螢は彼女に頭を下げたのだ。

そのおかげで山吹の覚悟が決まった。自分はあくまでも借り胎だ、と。産み落とすのは自分でも、この子は小野家の次代。自分は決して表には出ない、出られる立場でもない、と。

正式に婚姻《こんいん》を取り交《か》わしたわけでもない山吹を、螢は義姉様と呼んで大事に扱《あつか》ってくれる。それだけでもう充分《じゅうぶん》。どころか過ぎるくらいだ。

「育てるのは義姉様だよ。私は鍛えるだけ」

螢は苦笑《くしょう》する。山吹が何を思おうと、母親は彼女だ。嬰児《みどりご》を育てるのは母の役目で、いつどうなるかわからない自分ではない。

「では、お手伝いをしてくださいませ。私だけでは足りないことだらけになります」

「ええ？　私は子どもの扱いは下手だよ？　近くにいなかったから……」

言い差して、螢はぽんと手を叩《たた》いた。

「あ、そうだ。子守《こもり》が得意なのがいた。手を貸してくれるかどうか、あとで訊《き》いてみる」

神祓衆は都の安倍家の様子をずっと観察していた。安倍晴明の末孫がどのようにして育ったか、螢はよく知っている。

鴉《からす》が鳴き出したのに気づき、山吹と螢は空を見上げた。

少しずつ橙色《だいだいいろ》に染まってきた西空に、黒い鳥影《とりかげ》が幾《いく》つも横切っていく。

一日の終わりを告げる声だった。

鴉の声が、冷たい風を連れてくる。

「義姉様、花は明日またにして、邸に入ろう」

体を冷やしてはいけない。夏とはいえ、夜風はひんやりと冷たいのだ。

菅生の郷《さと》は山に囲まれており、それ以外にも気温が低くなる要因が幾つもあった。

「螢様がお先に。私は裏から回ります」

「わかった」

自分が動かないと山吹も動かない。そういうところは徹底《てってい》しているのだ。

彼女を早く入らせるために、螢は急いでその場を離《はな》れる。

螢が簀子《すのこ》から室《へや》に入っていくのを見届けて、ほっとした山吹は裏の戸口に向かった。

小野家は広い。螢の室は南向きで、一番日当たりが良い。しかし彼女は妻戸《つまど》も蔀《しとみ》も閉め切って休んでいる。外気がよくないのだと氷知から聞いたが、苦しむ姿をできるだけ家人に見せないようにという配慮《はいりょ》だと山吹は察していた。見れば、彼女の命の灯火《ともしび》は残りごく僅《わず》かであるといやおうなしに突《つ》きつけられる。

長は立場だけでなく、神祓衆たちの精神の支柱でもある。しかし、老いた長は時守の死で気力を失った。時守亡きいま、あの華奢《きゃしゃ》な双肩《そうけん》にすべての重圧がかかっているのだった。

「何か私にできることがあれば……」

少しでも報《むく》いることができるように。

ざるを軒先《のきさき》に置き、桶《おけ》に少し水を汲《く》んでそこに花を無造作にさす。幾つかの室にある花器に生けるのだ。

「緑の葉も少しあったほうが見目が良くなって綺麗《きれい》かしら」

青々とした葉を探して、庭の奥に足をのばす。自分の名と同じ花をつける木を選び、枝を選んでいた彼女は、ふと奇妙《きみよう》な気配を感じて無意識に視線を滑《すべ》らせた。

足元に細い影《かげ》がのびていた。

視線を落とした瞬間《しゆんかん》、影の中から黒い紐《ひも》に似たものが幾つも噴《ふ》き出して、山吹に巻きつく。

「――――っ！」

山吹は我知らず、声にならない悲鳴を上げていた。

自室に入った螢は、くらりとしてうずくまった。軽い眩暈《めまい》で立っていられない。

「情けないな…、あのくらいで…」

額にじっとりとにじんでくる汗をぬぐい、横になって休もうと帯に手をかけたとき、外から悲鳴が聞こえた。

考えるより先に螢は室を飛び出した。

裸足《はだし》で庭に駆け下り、視線を走らせる。

「義姉様《あね》!?」

庭木に隠《かく》れて見えない場所から、異様な気配が漂《ただよ》っていた。

これには覚えがあった。あの壺《つぼ》から逃《に》げた妖《あやかし》のものだ。

封《ふう》じを解かれた妖は、あれから力を蓄《たくわ》えたのか、あるいは取り戻《もど》したのか。覚えている以上に強い妖気《ようき》を放っている。

山吹《やまぶき》の木の近くに、定まった形を持たない黒い妖が蠢《うごめ》き、幾つもの紐のようにのびた妖の体が山吹に巻きついていた。彼女はきつく瞼《まぶた》を閉じて、両手で腹を守ろうとしながら懸命《けんめい》に身をよじっていた。

「義姉様！」

螢の叫《さけ》びに、山吹ははっと目を開いた。

「いけません、螢様！　だれか、ひとを……！」

螢は右手で刀印を組む。

「なんだ、これ」

こんなものは見たことがない。強《し》いて言うなら、山海経《せんがいきょう》に描《えが》かれた太歳《たいさい》に似ているだろうか。

いびつな塊《かたまり》で、あちこちがふくらんでのびている。広がった体の端《はし》は水母《くらげ》の足のようにゆらゆらと動き、木々にからみついて葉を引きちぎり、呑《の》み込んでいく。

喰《く》っているというわけではないらしい。触れるものを取り込んでいるだけのように感じた。小袖《こそで》の裾《すそ》が足にまとわりついて動きにくい。面倒《めんどう》でも水干《すいかん》を着ておくのだった。

「義姉様を放せ。お前の狙《ねら》いは私だろう」

壺から解放したのは自分だと言い放つ螢に、妖はざわざわと身を震《ふる》わせながら、地を這《は》うような唸《うな》りをあげた。

ぼこぼこと音を立てて、妖の全身に裂《さ》け目が生じた。よく見るとそれは無数の眼《め》だった。幾つもの眼が一斉《いっせい》に螢を凝視《ぎょうし》する。こんなものは見たことがない。

「……壺の中で、変容したのか……？」

おそらく、あの小さな壺にたくさんの妖を閉じ込めていたのだろう。それらがいつしか溶《と》け合ってひとつの化け物となった。

見たことがないのも道理だった。

異様な妖気がひときわ激しくなる。妖の眼がぎらぎらと光った。

長い足がのたうつように蠢いて、捕《と》らえた山吹を振《ふ》り回す。

「やめろ！」

刀印を掲《かか》げた螢は、胸の奥で激しく震える鼓動《こどう》を聞いた。だめだと本能が叫ぶ。

のびあがった妖の足が螢に向かって叩き落とされる。飛び退《すさ》ろうとした足に小袖の裾がまとわりつき、均衡《きんこう》を崩《くず》して転がった。

追ってくる妖の足を転げまわって避《よ》けた螢の耳に、金切り声が突き刺《さ》さった。

はっと息を呑む。

妖に捕らわれた山吹が、先ほどとはまったく違《ちが》う引き攣《つ》った顔で体を折り曲げていた。

「……っ、…あ……！」

腹を押さえて全身をわななかせ、脂汗《あぶらあせ》をしたたらせながら喘《あえ》ぐ山吹の足に、したたるものがある。

螢は血相を変えた。

まさか、産気づいたのか。

山吹はか細い悲鳴を上げて身をよじる。妖が彼女をきつく締《し》め上げているのだ。

螢は唇《くちびる》を噛《か》んだ。こんなときにどうして夕霧が近くにいてくれないのだろう。

「謹請《きんせい》し奉《たてまつ》る…！」

印を掲げて、螢は叫んだ。

「天満《てんま》…っ」

どくんと、鼓動が跳《は》ねた。錐《きり》を穿《うが》つような鋭《するど》い痛みに襲《おそ》われて息が詰《つ》まる。

息が詰まってよろめいた螢は、口元を押さえた。ひゅっと音を立てて息を吸い込んだ口から、真っ赤な霧《きり》が噴き出した。

何しろ暇《ひま》なので庵《いおり》の大掃除《おおそうじ》をしていた物の怪《もののけ》と勾陣は、磨《みが》き上げて清々《すがすが》しくなった床板《ゆかいた》を眺《なが》め、満足そうに頷《うなず》いた。

「よし。明日は妻戸を洗おう」

腰《こし》に両前足を当てて宣言する物の怪に、勾陣が返す。

「拭《ふ》くのではなく洗うのか」

「ああ。はずして洗う。ついでに壁《かべ》も洗ってやる」

昌浩がいないので、吹《ふ》きさらしになろうと開けっ放しになろうと問題はない。

「なら、床の前に壁と妻戸を洗ったほうが良かったんじゃないのか」

「いいじゃないか。どうせ時間は幾《いく》らでもある。昌浩が戻ってくる前に終わっていれば問題はない」

物の怪の言葉に、勾陣はふむと考え込む素振《そぶ》りを見せた。

「……まぁ、いいか」

いまいち釈然《しゃくぜん》としないが、時間があるのは本当だ。

「大掃除が終わったらどうするんだ」

「屋根の修繕《しゅうぜん》だ」

「それが終わったらどうする」

「外壁《がいへき》を磨いてやる」

「それが終わったら？」

「簀子《すのこ》の前の草むしりでもしようじゃないか」

「その次は」

「庭木でも刈《か》るか」

「それで？」

淡々《たんたん》と問いつづける勾陣に、物の怪はむむむむと唸った。

「……暇なんだよなぁ」

何もすることがなくなってしまう。

腕《うで》を組んだ勾陣が、首を傾《かたむ》けた。

「神祓衆たちに、昌浩の様子を見に行っても構わないか訊《き》いてみるか？」

物の怪が渋面《じゅうめん》を作る。

「いやー。さすがに邪魔《じゃま》しちゃいかんだろう。命がけなんだ、俺たちも何があってもいい覚悟《かくご》をして、……何をするかなぁ」

まったくだと言わんばかりに勾陣が頷いたとき、ごく近くにおぞましい妖気が出現した。

物の怪がぴょんと耳をあげる。

「これは」

確か、壺から逃げた妖だ。しかし、あのとき感じたものより遥《はる》かに強大になっている。

勾陣が舌打ちした。

菅生の郷《さと》は地の気がとりわけ強いのだ。おそらくそれを吸い、もともと持っていた力が増大してしまったのだろう。

物の怪と勾陣は庵を飛び出した。


妖気が辺りを取り囲む。

誰《だれ》も邪魔をしないように妖気の壁を作っているのだと、膝《ひざ》をついてうずくまりながら螢はぼんやり思った。

胸の奥が熱い。血を吐《は》くたびに、手足がどんどん冷たくなっていく。

口を押さえる両手がみるみるうちに赤く染まっていく。

なんとか目を開いた螢は、山吹が苦しみ悶《もだ》えながらも必死で腹をかばっているのを見た。

ああ、助けなくては。兄様《あにさま》の妻と子だ。

目尻《めじり》を涙《なみだ》が伝った。力が抜《ぬ》けていく。気が遠くなりそうだ。

必死で立ち上がろうとするのに、胸の奥がざわついて、幾つもの錐が刺さっているようで、息が詰まって膝が砕《くだ》ける。

唐突《とうとつ》に妖《あやかし》が山吹を解放した。

どさりと音を立てて転がった山吹は、少しでも妖から遠ざかろうとあがいていた。

妖は螢に向かってぞろりと動いた。瀕死《ひんし》の獲物《えもの》を先に片付けようとしているらしい。

螢はそっと笑った。

よし、こっちに来い。早く来い。お前がこっちに気をとられている間に、妖気《ようき》の壁を破る。

そして、山吹だけでも逃《に》がすのだ。

家の者たちはきっともうこの騒《さわ》ぎに気づいている。隙《すき》を作って壁を破れば、あとは氷知がきっとなんとかしてくれる。

それにしても、まさかこんな近くにひそんでいたとはさすがに思わなかった。

妖気の壁際《かべぎわ》に山吹が這っていく。

こみ上げてくるものをぐっと呑《の》み込み、螢は気力を振り絞《しぼ》った。

「…星々の…祓《はら》い…」

妖が螢の間際に迫《せま》る。

「……五方《ごほう》…かしこみ…て……」

血に濡《ぬ》れた刀印をのろのろと構えた。

数えきれない眼《まなこ》が螢を凝視する。

「……っ」

熱いものが喉《のど》の奥にせりあがってくる。

螢は刀印で五芒星《ごぼうせい》を描《えが》いた。

「祓い、たまえ…！」

妖ではなく、妖気の壁に向かって刀印を振《ふ》り下ろそうとした螢の手を、死角からのびてきた黒い紐《ひも》のような妖の足がからめ捕《と》った。

瞠目《どうもく》した螢は、妖の幾つもの眼のうち、ひとつだけが山吹を捉《とら》えていることに気づいてぞっとした。

妖の眼が喜悦《きえつ》に歪《ゆが》んだのを確かに認めて、螢は黒い紐を振り払《はら》おうとした。しかし、びくともしない。

足をゆらりとあげて、螢の体を吊《つ》りさげるようにした妖が大きな体を震《ふる》わせると、その真ん中あたりにばくりと口が開いた。

山吹が悲鳴にならないかすれた声を上げる。視界のすみに、彼女の足にからみついた黒い紐が見えた。山吹の体が妖の体にずるずると引き寄せられてくる。

螢の全身にからみついた妖の足がゆっくりと締めつけてくる。螢は首をのけぞらせた。

ふと、呼ばれた気がした。

必死に視線を滑《すべ》らせると、妖気の壁の向こうに、氷知や長老たち、そして物の怪と勾陣が見えた。

氷知が印を組むのを押しのけて、勾陣が両手を掲《かか》げる。手の間にゆらめく闘気《とうき》が視《み》えて、螢はほっとした。

ああ、もう大丈夫《だいじょうぶ》。義姉《あね》様と子どもは助かる。

妖が自分を見ている間に。早く。早く。

妖気に包まれた全身が氷のように冷えていくのを感じながら、螢は唇《くちびる》を動かした。

もう一度だけ、夕霧に会いたかったな。

ふいに、視界のすみで、勾陣の動きが止まった。

彼女の端整《たんせい》な面差《おもざ》しが愕然《がくぜん》と凍《こお》りつく。

同時に、耳の近くで風が鋭《するど》く唸《うな》った。

銀のひらめきが走り、螢の体にからみついていた妖の足が断《た》ち斬《き》られたかと思うと、支えを失って落下しかけた彼女の体が抱《だ》き留められる。

妖気の壁の向こうにいる勾陣の双眸《そうぼう》が金色に輝《かがや》いたのを認めた螢の耳に、低く重い声音《こわね》が忍《しの》び込んだ。

「――愚《おろ》か者め」

螢の瞼《まぶた》が震えた。のろのろと首をもたげた螢の目に、剣呑《けんのん》に彩《いろど》られた精悍《せいかん》な面差しが映った。

「我が末裔《すえ》でありながら、この程度の妖風情《ふぜい》に後《おく》れを取るとは、嘆《なげ》かわしい」

冷たい眼差《まなざ》しも容赦《ようしゃ》のない物言いも、懐《なつ》かしさ以外のものにはならなかった。

螢の顔がくしゃくしゃに歪む。堪《こら》えて堪えて抑《おさ》えてきたものが、ひとならぬ鬼《おに》となった男を前にしてあふれ出た。

「篁《たかむら》公…っ！」

力の入らない腕で縋《すが》りついてきた螢を片腕《かたうで》に、墨染《すみぞめ》の衣《ころも》をまとった冥府《めいふ》の官吏《かんり》は、馬手《めて》に構えた剣《つるぎ》を一振《ひとふ》りした。

「これ以上情けない姿をさらすな。川を渡《わた》るにも門を抜けるにもまだ早い」

はっと息を呑んだ螢を腕に抱いたまま、男は妖に視線を投じる。

「元の形を忘れたばけものよ。この俺がじきじきに葬《ほうむ》ってやるぞ、喜べ」

冥官が傲岸《ごうがん》に言い放つと同時に、妖が雄叫《おたけ》びをあげた。

「それほどに嬉《うれ》しいか」

冷淡《れいたん》に笑う男を凝視《ぎょうし》する無数の眼がぎらつき、全身からのびた黒い紐がわっと襲《おそ》いかかってくる。

しかし、冥官のほうが速かった。

いつの間にか妖の間合いに入っていた男の剣の切っ先が、大きく開いたままの妖の口に突《つ》き立てられる。

あれほど螢を翻弄《ほんろう》した妖気が元から断たれ、絶叫《ぜっきょう》にも似たくぐもった唸りが地を震わせた。

瞬間《しゅんかん》、妖気の壁が粉砕《ふんさい》された。

朦朧《もうろう》とした螢が肩《かた》で息をしながら目をやると、妖気の壁どころか氷知や長老たちまでも吹《ふ》き飛んで、累々《るいるい》と横たわっていた。

その中に闘気を噴《ふ》き上げる十二神将勾陣だけが立ち、凄《すさ》まじい眼光で冥官を射貫《いぬ》いている。

「――――」

腰帯《こしおび》に差した筆架叉《ひっかさ》を、勾陣がおもむろに引き抜いた。

横目でそれを認めながら、冥官は妖に突き刺《さ》した得物《えもの》を横薙《よこな》ぎに払い、舞《ま》うように寸断する。

刃《やいば》が一閃《いっせん》するごとに妖気が祓われ、妖の体軀《たいく》が砂と化して崩《くず》れていく。

勾陣が地を蹴《け》ると同時に冥官が身を翻《ひるがえ》した。

彼に抱かれた螢の髪《かみ》がふわりとなびく。彼女の身体《からだ》に小さな衝撃《しょうげき》が伝わり、一瞬遅《おく》れて得物を打ち合う鋭い音が耳に突き刺さる。

肉薄《にくはく》した勾陣の放つ紛《まぎ》れもない殺気を受けて、螢は息を詰《つ》めた。

そう言えば、彼女はこの男に相当手痛い思いをさせられた過去があるのだ。初めて会った頃《ころ》の激昂《げきこう》した姿を思い出す。

胸の奥がざわついて、螢は顔を歪めた。

勾陣の闘気が肌《はだ》を刺す。胸の奥の傷がじゅくじゅくとうずいて鈍《にぶ》い痛みを起こし、悲鳴を上げるように蠢《うごめ》いている。彼女の強すぎる神気が、螢の体の気のめぐりを狂《くる》わせているからだ。

体を折り曲げるようにして息を詰める螢を一瞥《いちべつ》した冥官は、一旦《いったん》下がって筆架叉を持ち直す
勾陣の眼光を真っ向から受けた。

「何用だ、十二神将」

全力で薙ぎ払われた筆架叉を剣身《けんしん》で無造作に受け、漆黒《しっこく》の短い髪を闘気の風に遊ばせながら、
冥官は傲然《ごうぜん》と笑った。

「貴様とたわむれるほど俺は暇《ひま》ではない」

男の双眸が苛烈《かれつ》に光る。

「あの程度の妖を見逃《みのが》した挙句《あげく》出遅れるような役立たずには、なおのこと」

金色の双眸がさらに激しさを増した。

螢は息を詰めながら瞼をぎゅっと閉じる。

この男、絶対に楽しんでいる。

十二神将たちがなぜあれほど冥官を敵視するのか、その理由がほんの少しだけわかった気がする螢だった。こんな物言いをして偉《えら》そうに振《ふ》る舞っていたら、多少は癇《かん》に障《さわ》っても仕方がない。

多少どころか、十二神将たちは、矜持《きょうじ》を木端微塵《こっぱみじん》に粉砕されいいように使われるという、冥官を八つ裂《ざ》きにしても飽《あ》き足らないような行いをされたのだが、それはつまり奴ひとりにいい

ようにあしらわれたということでもあるので、誰《だれ》も詳細《しょうさい》に触《ふ》れることなくこんにちにいたる。それ故《ゆえ》余計に怒《いか》りと苛立《いらだ》ちと敵意と殺意がふつふつと育ってきたのだ。

勾陣の唇から、怨嗟《えんさ》にも似た唸りがこぼれた。

「数々の借りを返してやろうと言っている。有り難《がた》く受け取れ」

「いらん」

そっけなく言い放って筆架叉を払いのける。返す剣で彼女の髪を数本断ち斬ると、死角から切っ先が突き上げられてきた。

彼女の得物は二振り。螢の髪を目くらましにして喉笛《のどぶえ》を狙《ねら》う切っ先を、冥官は無造作に避《よ》けて目をすがめた。

「遊ぶ暇はないと言っている」

余裕《よゆう》ぶった態度が勾陣の感情を逆撫《さかな》でした。激しさを増す神気の渦《うず》が荒《あ》れ狂い、土砂《どしゃ》を巻き上げて砂嵐《すなあらし》と化した。

剣戟《けんげき》のたびに闘気が噴き上がり、突風《とっぷう》が庭木をへし折って地を揺《ゆ》るがす。得物とともに叩《たた》き落とされる神気が爆裂《ばくれつ》となる。

このままでは郷《さと》全体が巻き込まれて凄まじい被害《ひがい》が出る。

神祓衆たちは全力で結界を張った。

それを待っていたかのように、冥官の全身から凄まじい闘気が迸《ほとばし》った。

気の渦に押し飛ばされて、神祓衆たちはもはや立ち上がれない。激しい闘気の竜巻《たつまき》で息もつけず、結界を保つことにのみ力を注ぐ。

冥官の双眸が冴《さ》え冴《ざ》えと冷たく光った。手にした得物の切っ先を勾陣の急所に据《す》える。勾陣が間合いを計り、にじりよってくる。

冥官は僅《わず》かに後退《あとずさ》ると、腰《こし》を低くして応戦の構えを取る。

「………っ」

ふいに、小さな咳《せき》が冥官の耳朶《じだ》を打ち、男の眉《まゆ》がぴくりと動いた。

口を両手で覆《おお》った螢が、青い顔で必死に咳を殺している。指の間に赤いものがにじんでいるのを一瞥し、冥官はかすかに瞼を震《ふる》わせた。

冥官が切っ先を僅かに下げる。

右の筆架叉を逆手に持ち替《か》え、剣をからめ捕《と》って捉《とら》えると、左手を振り上げた。

筆架叉の切っ先が冥官の右頬《みぎほお》を掠《かす》め、朱色《しゅいろ》の筋が描《えが》かれる。

刃を返し、首下にある息の根をめがけて切っ先を落とそうとした彼女の腕《うで》を、後ろからのびた手が摑《つか》んだ。

両手を囚《とら》われた勾陣は、背後で渋面《じゅうめん》を作っている凶将《きょうしょう》に唸った。

「邪魔《じゃま》をするな」

「勾」

たしなめる響《ひび》きをはねつけるように、勾陣は繰《く》り返す。

「私は邪魔をするなと言っている」

自分より高い位置にある双眸が皮肉げに笑うのを認め、勾陣は柳眉《りゅうび》を吊《つ》り上げた。

拘束《こうそく》を振り払《はら》おうと力を込めたが、紅蓮はびくともせず、逆に勾陣を冥官から引き離《はな》す。

「騰蛇…！」

完全に逆上して怒鳴《どな》りかけたとき、耳の近くで固い声がした。

「よく見ろ」

何をだと嚙《か》みつこうとした勾陣に、紅蓮は眉をひそめる。

「十二神将勾陣ともあろう者が、わからないのか」

嘆息《たんそく》まじりの言葉に、勾陣の闘気《とうき》がふっと和《やわ》らいだ。

金色の双眸《そうぼう》が輝《かがや》きを失い、深い黒曜に戻《もど》っていく。

冥官の腕の中で、螢はほうと息をついた。闘気が消えて、体を押さえつけるような圧迫感《あっぱくかん》から解放される。

ごほごほと咽《むせ》るたびに指の間から赤いものがにじみ出てくる螢を見て、勾陣は息を呑《の》んだ。

勾陣の両腕《りょううで》を放した紅蓮は、前に出て冥官に対峙《たいじ》した。

「冥官、そいつを置いてとっとと消えろ」

「貴様に命じられるいわれはない」

ぴしゃりと言い放った男は、螢を紅蓮に押しつけた。

「だが、いつまでも人界に留《とど》まるほど、暇でもない」

腰の鞘《さや》に剣を収めると、冥官は身を翻す。

螢はゆるゆる目を開けると、血のにじんだ唇《くちびる》で仄《ほの》かに笑った。

「……公…またね…」

肩越《かたご》しに彼女を一瞥した男は、肩をすくめるとふっと姿を消した。

場を圧倒《あっとう》していた渦巻《うずま》く気が四散し、神祓衆たちがようやく動けるようになった。

血相を変えて駆《か》け寄ってきた氷知に螢を任せた紅蓮は、両手に持った筆架叉を握《にぎ》り締《し》める指が白くなっている勾陣を振り返った。

「勾」

返事はない。少しうつむいた彼女の顔は髪に隠《かく》れていて、よく見えなかった。

しかし、見えはしないが、怒気《どき》が立ち昇《のぼ》っているのがはっきりと感じられる。

さてこれからどうするのが得策かと、徐々《じょじょ》に緊迫《きんぱく》する沈黙《ちんもく》の下で思案をめぐらせていた紅蓮の耳に、素《す》っ頓狂《とんきょう》な声が飛び込んできた。

「あれ、紅蓮？　なんで？」

紅蓮が振り返ると同時に勾陣が顔をあげ、眉をひそめる。

駆け寄ってきた昌浩に、紅蓮は物《もの》の怪《け》の姿に変化《へんげ》してから言った。

「お前、修行《しゅぎょう》はどうした」

「いや、修行の途中《とちゅう》なんだけど、こっちで何か起こったのか気になって…」

答えながら、昌浩はそっと勾陣の様子を窺《うかが》った。

「……ええと、何があったんだ？」

最初に感じた不穏《ふおん》な気など比べものにならないほどの尋常《じんじょう》でない闘気が噴き上がり、さらには苛烈な通力もそこにあったような気がしている昌浩だ。

勾陣の柳眉がぴくりと動いた。

「……螢の様子を見てくる」

突然踵《とつぜんきびす》を返した勾陣を、昌浩と物の怪は妙《みょう》に緊張《きんちょう》しながら見送った。

彼女の行く方《かた》は庭木が折れて土がめくれた惨状《さんじょう》を呈《てい》している。ここに来るまでに見た土蔵のあちこちにもひびが入っていたし、籬《まがき》が傾《かたむ》いて根が半分剝《む》き出しになっていた。

昌浩は意を決し、口を開いた。

「ねぇ、もっくん」

「聞かないほうが身のためだ」

先手を打った物の怪は、尻尾《しっぽ》をぴしりと振って半眼になる。

「ただ、あの男が突如《とつじょ》として現れた、とだけ言っておく」

「……そうですか」

つい丁寧《ていねい》な物言いになる昌浩である。

物の怪の言葉は要領を得ないはずなのだが、それだけで何かが起こって大変だったのだと察しが付くから不思議だ。

勾陣が消えたほうをもう一度見やった昌浩は、彼女の言葉を思い出して瞬《まばた》きをした。

螢の様子を見てくると、言っていなかったか。

「もっくん、螢がどうか……」

言いかけた昌浩の襟首《えりくび》を、後ろからのびてきた手がむんずと掴んだ。

「ぐえっ！」

蛙《かえる》のようにうめいた昌浩を、鬼《おに》の形相の夕霧が無言で引きずっていく。

呆気《あっけ》にとられてぽかっと口を開けた物の怪を振り返り、夕霧は短く言い放った。

「体術の基礎《きそ》をさせる」

「おう……」

右前足をぱたぱた振って、物の怪は小さく呟《つぶや》いた。

「がんばれよ、晴明の孫」

襟首をぐいぐい引きずられて首が絞《し》まり、じたばた足掻《あが》いている昌浩の耳には、物の怪の声は届かなかった。

辺りをぐるりと見回して、物の怪はふうと息をついた。

凄《すさ》まじい惨状だ。神祓衆たちが命がけで結界を張らなかったら、郷全体が巻き込まれて大変な事態になっていたことだろう。

実のところ、妖気《ようき》の壁《かべ》への勾陣の最初の一撃《いちげき》による爆風《ばくふう》で、神祓衆たちより遥《はる》か彼方《かなた》まで吹《ふ》き飛ばされて転がった物の怪である。

戻ってきたら結界が築かれており、入れろ開けろと叫《さけ》んでも命からがらの神祓衆たちはうずくまってまったく気づかず、冥官を見るなり激昂《げきこう》して我を忘れた勾陣は奴《やつ》の腕の中にいる螢も目に入っていない為体《ていたらく》。

物の怪は目をすがめた。

「……あいつ、手加減しやがった」

螢が血を吐《は》いたのに気づき、本来だったら避《よ》けられるはずの勾陣の剣撃《けんげき》をあえて受けた。ように物の怪には見えた。剣撃を受けたといっても、頬《ほお》を僅かに掠める程度だったが。

「あのときのことを、少しでも悪いと思ってか？」

呟いて、しかし物の怪はぶんぶん頭《かぶり》を振った。

「ないないないない、絶対ない。あの男がそんな殊勝《しゅしょう》なことを考えるわけがない。そうだよな、そうだともありえん」

ひとりで会話している物の怪の背後に、ふっと神気が降り立ったのはそのときだった。

目を丸くした物の怪が振り返るのと、六合が顕現《けんげん》するのとはほぼ同時だった。

「六合」

声を上げる物の怪にひとつ頷《うなず》いて、六合は訝《いぶか》しげに視線をめぐらせた。

「……これは？」

何と答えていいものやらと、言葉に詰《つ》まった物の怪は半眼になった。

7

目を開けた螢は、壁にもたれている影《かげ》が珍《めずら》しい相手だったので、少し驚《おどろ》いた。

「珍しいねぇ」

勾陣は目を伏《ふ》せていたが、やがて螢をまっすぐに見返した。

「…すまなかった」

螢は笑う。

「十二神将闘将《とうしょう》紅一点に詫《わ》びをもらうなんて、ほんとに珍しいね」

くすくすと声を立てて笑っていた螢は、やがて目許《めもと》を両手で覆《おお》った。

「…みんなに見られちゃった。やだなぁ」

ずっと我慢《がまん》していたのを。篁の顔を見たら、もうだめだった。

容赦《ようしゃ》のない、性格も口もあまりよくはない、それでもどこかあたたかい、小野の先祖。

生ある時も、人の生の終わりののちも、冥府《めいふ》の官吏《かんり》として動いている男。

誰《だれ》もが恐《おそ》ろしいというあの男が、螢はなぜかとても好きだった。怖《こわ》くないといえば嘘《うそ》になるが、彼が螢に向ける眼差《まなざ》しはいつも、容赦がない中に優《やさ》しい光を持っている気がして。

今日も、決してやさしい言葉はくれなかったが、この腕《うで》の中だったらもう大丈夫《だいじょうぶ》だと思えた。

あの男がいる冥府に行くのだ。あの男がいると思えば、死ぬことは怖くない。怖いのは、志半ばで未練を残すこと。最後の最後まで、長《おさ》の直系という立場を守りきれなくなること。まだ生きていたいと、みんなを置いていきたくないと、ずっと一緒《いっしょ》にいたいと、ここまで保ってきた心の糸が切れて、みっともなく情けない姿を見せてしまうこと。

「私に見せるのはいいのか」

いまここで、そんなふうに崩《くず》れかけている姿をさらせるのはどうしてか。

交差させた両腕《りょううで》で目を隠しながら、螢はそっと笑った。

「……ものすごく怒《おこ》ってたのに急に攻撃《こうげき》をやめたのって、騰蛇に言われたのが応《こた》えたからでしょ」

勾陣が痛いところをつかれた顔をする。

「認めてて、認めてほしい相手にがっかりされるのって、きついよね」

静かに息を吐いて、腕をずらした螢は天井《てんじょう》を見上げた。

「私もそう。氷知やみんなに、兄様《あにさま》の役に立てるってことを認めてほしくて、ずっと頑張《がんば》ってきた」

そうして螢は、泣き笑いのような顔をした。

「ひどいよね、あのひと」

――これ以上情けない姿をさらすな。川を渡《わた》るにも門を抜《ぬ》けるにもまだ早い死者の裁定者にあんなことを言われたら、死ぬことなどできないではないか。

まだ来るなと言われた。お前はまだこちらに来てはいけないのだと。

死ぬ覚悟《かくご》ではなく、ぼろぼろで情けなくても役に立たなくても頑張れなくなっても、それでも生きる覚悟を決めろと。

彼の真意はあの冷たい言葉の裏にこそあったのだ。

「……みっともなくても、いいかなぁ…」

沈黙《ちんもく》が降り注ぐ部屋の中で、勾陣と螢が同時に身じろぎをした。

邸《やしき》の奥から、かすかな産声《うぶごえ》が聞こえた。


勾陣が庵《いおり》に戻《もど》ると、たたんだ料紙の前に鎮座《ちんざ》した物《もの》の怪《け》が、うなだれていた。

「騰蛇？」

怪訝《けげん》そうに呼びかけた勾陣をゆっくりと見上げて、物の怪は耳をそよがせた。

「六合がこれを持ってきた」

物の怪の傍《かたわ》らに膝《ひざ》をついた勾陣には、料紙の中央に書かれた文字に見覚えがあった。

彰子の字だ。

「姫《ひめ》からか」

物の怪は黙《だま》って頷くと、息をつく。

「……それと、吉昌からの伝言がな」

それだけを伝えた六合は、そのまま都に戻っていった。

それを聞いた勾陣は、少し呆《あき》れた顔をする。

「忙《いそが》しい奴だな」

「うるさい目付けがいるからな」

「ああ」

黒い鴉《からす》を思い出し、勾陣と物の怪はなんとはなしに目を見かわす。

六合も苦労が多かろう。それでも、選んだ相手が相手なのだから、仕方のない話だ。

そのとき、戸の開く音がした。

疲労困憊《ひろうこんぱい》を体現しているかのような昌浩が、ふらふらと入ってくる。

「……た…だい……………ま……」

首をもたげた昌浩は、物の怪と勾陣を見て力なく笑った。

「ひさしぶりぃぃぃぃ…」

戸をあけて、物の怪たちを見られるのは果たしていつ以来か。

うんうんと応じた物の怪は、昌浩にちょいちょいと手招きをした。

「昌浩、ちょっと来い」

「うん？」

「話がある」

やけに神妙《しんみょう》な面持《おもも》ちの物の怪に、昌浩はふっと冷たい影が胸の奥に落ちたような気がして息を詰めた。

◆　◆　◆

その晩は、よく晴れていた。

星が見えて、真円に近い月が空にかかり、皓々《こうこう》と辺りを照らしていた。

昌浩は簀子《すのこ》に座り、空をじっと見上げていた。

月明かりで読んだ久しぶりの文《ふみ》を傍らに置いたまま、何も言わずに、身じろぎひとつせずに。

ほんの少しだけ切ない顔をして、ただじっと、月を見つめていた。

翌日、昌浩は夕霧とともに、山をふたつ越《こ》えた山頂の社《やしろ》に籠《こ》もった。

「十日間の無言の行だ」

昌浩は黙然《もくぜん》と頷《うなず》いた。

あの洞窟《どうくつ》の行と同じく、言葉を発してはいけないのだ。

ひとの言葉ではなく神の言葉のみを使うことで、霊力《れいりょく》が強まるらしい。

覚悟していたので何事もなく過ぎ、最後の日の朝が来た。

夕霧が出ていく気配を感じた昌浩は、まだ半分眠《ねむ》っている頭で起き上がった。

「――おはよう」

後ろから響《ひび》いた声に、昌浩は無意識に答えた。

「あ、おはよう」

答えてから、硬直《こうちょく》した。

この社にいるのは夕霧と自分だけで、夕霧はさっき出ていったのだ。

恐る恐る振《ふ》り返ると、天井から逆さまに女の首が出て、昌浩と目が合ったかと思うとにたぁと笑って引っ込んだ。

「………あぁぁぁぁぁ…!」

ここにきて、最後の最後の罠《わな》にかかってしまった。

戻ってきた夕霧は、頭を抱《かか》えてうめいている昌浩を見て、何かを察したらしく額に手を当てて息をついた。


いつもより輪をかけて疲労困憊した昌浩が戻ってきたのは、夜もとっぷり更《ふ》けた頃《ころ》だった。

瞼《まぶた》が落ちかけながらもなんとか自力で板間に上がった昌浩は、あらかじめ用意してもらっていた硯箱《すずり》を開けた。

返事の文を書かなければ。目が開いている間に、できるだけ早く。

竹三条宮で脩子の女房《にょうぼう》として仕えると書かれていた。何も言わないで、何も知らせないで、勝手に決めてしまってごめんなさいと書かれていた。

こっちこそ何も言わないままだったのだ。だから、それを詫《わ》びて、何も気にしなくていいと、返事を。

「…………――」

筆を持ったまま微動《びどう》だにしない昌浩の背を眺《なが》めていた物の怪と勾陣は、横からそっと覗《のぞ》きこんだ。

挨拶《あいさつ》と詫びと、彼女を気遣《きづか》う言葉を書きかけて、考えている間に瞼が落ちたのだろう。

座ったまま、くーと寝息《ねいき》を立てている。

感嘆《かんたん》すべきは、持っている筆を落としもせず、料紙も汚《よご》していないということだ。

「これじゃあ、いつ返事が出せることやら…」

物の怪はため息をつきながら昌浩の手から筆を抜《ぬ》き取り、横からさらさらと言葉を書き添《そ》えた。その間に勾陣が昌浩を横たわらせ、布をかけてやる。

「うーん、こんなもんか？」

昌浩の現状をかいつまんで説明し、途中《とちゅう》で寝てしまったので、僭越《せんえつ》ながら俺が代筆した、と書こうとして、物の怪の手が止まった。

「どうした、騰蛇」

やけに難しい顔をしていた物の怪は、首を傾《かたむ》ける勾陣をやにわに振り返った。

「勾、お前が書け」

「もう終わりだろう、なぜここで私が」

「俺が書いたとお前が書け。ついでに名前もお前のを書け」

「は？」

意味を摑《つか》みあぐねた勾陣がさらに怪訝そうな目をする。

物の怪は、苦虫を嚙《か》み潰《つぶ》したような顔をした。

「俺だと書いても誰《だれ》だか伝わらん。それに、名乗ろうにも」

騰蛇とも紅蓮とも書けない。物《もの》の怪《け》と書くなどもってのほかだ。

ようやく要領を得た勾陣は、様々な思いがない交ぜになった目を物の怪に向けながら、仕方なく応じた。

彼らの後ろでは、横になった昌浩が、何やら苦悶《くもん》の表情を浮《う》かべてさかんに寝返りを打ち、時折低くうめいていた。

これはもはやいつものことなので、物の怪も勾陣も既《すで》に心配することをやめている。

「最後に私の名前を書くのか」

「そうだ」

「十二神将でいいか」

「それでもいいが、念のためちゃんと名前を書いたほうがいいだろう」

「……考えてみると、こうやって誰かに宛《あ》てて名を書くのは初めてなんだが」

「む、そういえば……」


後日、神祓衆の式《しき》が安倍邸《てい》に飛んだ。

そして、天一の手で藤花の許《もと》に届いた文は、昌浩と物の怪と勾陣の三名による、実に珍《めずら》しいものとなっていたのだった。

◇　◇　◇

内親王脩子は、神妙な面持ちで切り出した。

「――わたし、またゆめをみたの」

晴明はしかつめらしい顔で頷く。

「どのような夢をご覧になりましたか」

脩子は両手を頰《ほお》に添えた。

「あの、かずきのおとことね」

「はい」

「あの、くろいこわいおとことね」

「はい」

脩子が声をひそめた。

「おどろかないでね、せいめい。……まさひろが、でてきたの」

これにはさすがに驚《おどろ》いて、晴明は目を丸くした。

「昌浩、ですか？」

晴明の声に、御簾《みす》の外側で彼らの話を聞くともなしに聞いていた藤花と風音と雑鬼《ざつき》たちが、互《たが》いの顔を見合わせる。

脩子はゆっくりと頷いて、記憶《きおく》を手繰《たぐ》るように眉間《みけん》にしわを寄せた。

「あのこわいおとこが、かずきのおとことまさひろに、なにかをめいじているのよ。それで、まさひろが、なんだかとてもたいへんそうなかおで、ごめんなさい、とか、むりです、とか、あやまっているのだけど、くろいおとこはとてもこわいかおでわらっているだけなの。それで、かずきのおとこが、やさしいけれどもつかれきったかおでわらいながら、まさひろをひきずってどこかにいってしまったのよ」

一旦《いったん》言葉を切って、脩子は首を傾けた。

「あれはなんだったのかしら……」

対する晴明は、妙《みょう》に悟《さと》ったというか、穏《おだ》やかというか、生暖かいというか、形容の難しい顔になっていた。

「夢というものは、不思議なものですから……」

おそらく、夢殿《ゆめどの》で、あの恐《おそ》ろしい男に、あのばかと一緒《いっしょ》に何かをやらされているのだろう。

起きている間は菅生の郷《さと》で修行《しゅぎょう》を積み、眠っている間は夢殿で鍛《きた》えられているというわけだ。

良かったなぁ昌浩や、何かあってもこのじい様が骨は拾ってやるからな。

心の底から昌浩を励《はげ》ます晴明だが、当然その声は本人には届かない。

「昔を見ることもありますし、願うものを見せることもありますし。また、いつか来る先の日を見ることもあれば、意味のない不思議なものを見ることもあります。だから、夢というのはとても興味深く、ときにはとても意味のあるものなのですよ」

脩子は頷《うなず》いて、そうだわと声を上げた。

「けさ、とてもふしぎできれいなゆめをみたのよ」

「はい」

応じる晴明に、脩子は目を輝《かがや》かせながら語る。

「からびつから、はながまうの」

「は？」

虚《きょ》をつかれた晴明が瞬《まばた》きをすると、脩子は嬉《うれ》しそうに目を細める。

「おおきなからびつから、はなびらが、まるでふぶきのようにまうのよ。ふしぎだったけれど、とてもうつくしかったわ」

彼女が見た夢を脳裏《のうり》に描《えが》いた晴明も、穏やかな笑《え》みを浮かべた。

「それは、さぞかしうつくしいながめでしょうなぁ」

「ええ。ねぇせいめい、このゆめは、ただのゆめなのかしら。それとも、いつかほんとうに、そんながめをみられるのかしら」

「だっておぼえているかぎり、はこからはながまったことなんてないものと、脩子は真剣《しんけん》な面《おも》持《も》ちになる。

晴明は顎《あご》に指を当てて思案した。

「さて……。この晴明にも、わかりませんなぁ」

「せいめいにもわからないの？」

意外そうに目を瞠《みは》る脩子に、老人は面白《おもしろ》そうに笑う。

「わからないことはいくらでもありますぞ。先が見えないからこそ、夢を見るのが楽しいのですよ、姫宮様《ひめみや》」

そして、夢を見ていられる間は、幸せなのだ。

退出した晴明を送った藤花は、雑鬼たちや風音とともに、簀子《すのこ》に端座《たんざ》していた。

脩子は、夢を見たら日記に書き留めておくとよいと晴明から聞き、帳面を用意して、さきほどの話をせっせと書き記している。

いつ呼ばれてもいいように簀子に控《ひか》えた藤花は、ふと思い出した顔をして口を開いた。

「そういえば、私もこの間、不思議な夢を見たの」

雑鬼たちが耳を傾ける。

藤花は頬に手を添《そ》えた。

「……夕暮れ、だったのかしら…」

少し橙色《だいだいいろ》に似た光の中で、自分はどこかの邸《やしき》の簀子に座り、庭を眺《なが》めていた。いつの間にかうとうとしていたらしく、はっと気がついた。それで、眠《ねむ》りかかっていたのだと思った。

気がついたのは、誰《だれ》かに呼ばれたからだ。

奥から、若者が近づいてきた。顔は見えなかったのか、よく覚えていない。

「そのひとが、笑ってこう言ったの」

——やっと眠ってくれたよ…

若者の腕《うで》には襁褓《むつき》にくるまれた赤子が抱《だ》かれて、すやすやと健《すこ》やかな寝《ね》息《いき》を立てていた。

一つ鬼が目を丸くする。

「それっ、だれだよ、藤花」

「なんだかとてもまぶしくて、よくわからなかったの」

「それ、どこだよ、藤花」

「それ、いつだよ、藤花」

竜鬼と猿鬼が迫《せま》ってくるので、藤花は苦笑《くしょう》した。

「だから、夢の話だってば。すごく不思議で、とてもぼんやりしていて…。さっきの晴明様のお話を聞くまで忘れていたくらい……」

そして藤花はついと空を見上げた。

晴明の話を聞いて、思った。

きっと、来ない未来を夢に見たのだと。

夢でならば許されるから。夢見ることだけは、ほかの誰にも阻《はば》めないから。

顔はよく見えなかった、よく覚えていない。けれども、もしかしたらあの若者は。いいえきっと、あの若者は。

そこで考えるのをやめる。

名前を口にはしない。そんなことはありえない。

だから、夢を見られただけで幸せな気持ちになった。

それだけでもう充分《じゅうぶん》だと、思った。


その晩、雑鬼たちは集まってひそひそと相談していた。

たまたまとおりかかった風音が、思わず蹴飛《けと》ばしそうになって慌《あわ》てて足を引く。

「ちょっと、こんなところに固まっていないでちょうだい。蹴っちゃうじゃない」

「あっぶねぇなぁ」

蹴られそうになった一つ鬼が抗議《こうぎ》する。

「俺は蹴鞠《けまり》の鞠じゃねぇぞ」

「……そうね」

似ている自覚があったのか、と風音は少し感心する。

猿鬼が風音の衣《ころも》の裾《すそ》によじ登った。

「なぁなぁ、お前さ。未来とかわかるんだろ？」

風音はひとつ瞬きをする。

「わかることもあるけど…」

「じゃあ、藤花と昌浩のこと、わからないのか!?」

やっぱりそうきたか、と内心でため息をつきながら、風音は膝《ひざ》を折った。

「残念だけど、わからないわ」

すると、雑鬼たちは口々に不満を並べる。

ひどい、友達甲斐《ともだちがい》のない奴《やつ》め、俺たちがこんなに親切にしてやってるのに。

親切にしてもらった覚えはないのだがと思いながら、風音は彼らをなだめた。

「はいはい、悪かったわね。でも、不思議なのよ。昌浩のことは、どうしても見えないの」

風音は真剣な面持ちで、決して誤魔化《ごまか》しているわけではないと、雑鬼たちにも伝わった。

三匹《びき》は渋面《じゅうめん》になって、また顔を寄せ合うと、ぼそぼそと何かを相談し、やがて一列に並んだ。

「俺たちいまから、貴船に行ってくるぜ」

予想もしなかった宣言を受けて、風音は目を丸くした。

「は？」

竜鬼が胸を張る。

「お前に見えないなら、もしかしたら未来はまだ決まってないってことじゃないか？」

「それは…なんとも言えないけど……」

言い澱《よど》む風音に、一つ鬼が片手を突《つ》き上げる。

「だから、貴船の龍神《りゅうじん》に、昌浩と藤花をどうにかして幸せにしてくれって、頼《たの》みに行くんだ！」

「――――」

風音は無言だった。

「じゃ、行ってくるぜ。もし姫宮が起きてきて俺たちを探すようだったら、朝には帰るって言っといてくれよな」

風音は黙《だま》って頷く。

猿鬼を先頭に、一つ鬼と竜鬼がぴょんぴょんと跳《は》ねていく。

「貴船は遠いよなぁ」

「大丈夫《だいじょうぶ》、俺たちには強い味方がいる！」

「そうさ！」

築地塀《ついじべい》を三四一斉《いっせい》に飛び越《こ》えながら、彼らは声を張り上げた。

「おお――――い、車――――っ！」

彼らの姿が塀の向こうに消えて、しばらくするとどこからともなくがらがらという輪の音が近づいてきた。

塀の向こうに仄《ほの》青い鬼火《おにび》がちろりと見えて、車の音が遠ざかっていく。

気配が完全に遠のいたのを感じ、風音はぽつりと呟《つぶや》いた。

「……伊勢につづいて貴船詣《もうで》」

しみじみと、彼女は息をついた。

「……なんて常識はずれの妖《あやかし》なのかしら……」

昌浩に関《かか》わると、なぜああも面白くなるのだろう。謎《なぞ》だ。

夜空には真円に近い月がかかっている。

皓々《こうこう》とした月影《つきかげ》を浴びながら、風音はついと目を細めた。

「……本当に、見えないのよね…」

昌浩のことは、どうしても。

未来が決まっていないということなのか。それとも別の理由があるのか。

それは、おそらく誰にもわからない。

藤花の局《つぼね》を一瞥《いちべつ》し、風音は目を閉じた。

「夢くらい、素直《すなお》に見ればいいのに」

あんなふうに、夢すらも曖昧《あいまい》にして、遠ざけなくても。

晴明も言っていたではないか。

わからないことはいくらでもある。先が見えないからこそ、夢を見るのが楽しいのだと。

だから、胸の奥に抱《いだ》きつづけるくらいは、きっとしてもいいだろう。


無邪気《むじゃき》に夢見ていられる頃《ころ》は過ぎた。

夢に別れを告げた彼らの次の季節がはじまったのを、皓々とした月が見下ろしていた。

あとがき

去る二月、バレンタインのチョコレートを読者の方から頂きました。

冥官《めいかん》と紅蓮とロード・スケルトンにです。ありがとうございます。主人公をさしおいて毎年必ずチョコを頂く男、冥府の官吏《かんり》。完結している作品の主人公なのに、この男は本当に強い。

今回は頁が少ないので、ランキングは簡単に。

一位、紅蓮。二位、勾陣。三位、昌浩。（実はぎりぎりまで紅蓮と勾陣が同数でした）

以下、物《もの》の怪《け》のもっくん、風音、太陰、藤花（彰子）、音哉、太裳、六合、岦斎、冥官、結城。

そして、先日全七巻で完結した『モンスター・クラーン』の咲夜とロードにも投票がありました。ありがとうございます。


久々の短編集ですね。雑誌に掲載《けいさい》された三編は、かなり昔に執筆《しっぴつ》したものです。

今回収録するにあたり数年ぶりに読み返したら、色々な意味で懐《なつ》かしくてもう…（笑）。

書き下ろしの「夢見ていられる頃を過ぎ」というタイトルは、八巻の『うつつの夢に～』にかけています。あれから色々なことがあって、随分《ずいぶん》時間が経《た》ちました。

夢は、見るもの。紡《つむ》ぐもの。届かないもの。描《えが》くもの。諦《あきら》めるもの。かなえるもの。

どれを選ぶか、何を掴《つか》むか。果たして彼らの夢の行方《ゆくえ》は。

さて、お知らせが幾《いく》つか。角川文庫版『少年陰陽師』窮奇の章全三巻、風音の章全四巻、天狐の章全五巻、絶賛発売中です。

学芸通信社さん主催《しゅさい》で、「陰陽師・安倍晴明」シリーズの新作を新聞連載《れんさい》させていただくことになりました。

連載タイトルは『いまひとたびと、なく鵺に　陰陽師・安倍晴明』。

詳細《しょうさい》は私のTwitterやFacebookや各公式サイトをご確認くださいませ。

また、デジタル野性時代で不定期連載している『吉祥寺よろず怪事請負処《あやごとうけおいどころ》』が、四月三十日に単行本発売決定しました。東京の街、吉祥寺《きちじょうじ》を舞台《ぶたい》にした、現代の陰陽師《おんみょうじ》物語。こちらの表紙イラストは、イラストレーターの宮城さんが手がけてくださいます。

不定期の連載ですが、今後も書きつづけていきたい作品です。『少年陰陽師』同様に、こちらも応援《おうえん》よろしくお願いします。ランキングへの参加も、感想のお手紙もお待ちしています。

ではでは、次の本でまたお会いできますように。

結城　光流

〈初出〉

その差は如何ばかり　月刊少年エース2005年8月号増刊「BeansA Vol.1」

鳴神の行方　月刊少年エース2005年10月号増刊「BeansA Vol.2」

だから最短距離を　月刊Asuka2006年11月号増刊「BeansA Vol.6」

夢見ていられる頃を過ぎ　書き下ろし

「少年陰陽師　夢見ていられる頃を過ぎ」の感想をお寄せください。
おたよりのあて先
〒102-8078　東京都千代田区富士見1-8-19
株式会社KADOKAWA　角川ビーンズ文庫編集部気付
「結城光流」先生・「あさぎ桜」先生
また、編集部へのご意見ご希望は、同じ住所で「ビーンズ文庫編集部」
までお寄せください。

少年陰陽師《しょうねんおんみょうじ》
夢見《ゆめみ》ていられる頃《ころ》を過《す》ぎ
結城光流《ゆうきみつる》

角川ビーンズ文庫　BB16-54　18492

平成26年4月1日　初版発行

発行者――山下直久
発行所――株式会社KADOKAWA
東京都千代田区富士見2-13-3
電話(03)3238-8521(営業)
〒102-8177
http://www.kadokawa.co.jp/
編　集――角川書店
東京都千代田区富士見1-8-19
電話(03)3238-8506(編集部)
〒102-8078
印刷所――暁印刷　製本所――BBC
装幀者――micro fish

ISBN978-4-04-101311-3 C0193 定価はカバーに明記してあります。

MONSTER CLAN
モンスター・クラン
「少年陰陽師」の結城光流が贈る、
華麗なるヴァンパイア・レジェンド開幕!!
結城光流《ゆうきみつる》
イラスト／甘塩《あまじお》コメコ
正統な血族のモンスター一家に育てられた人間の少女・咲夜。人間に仇なすモンスターを狩るために、破魔の拳銃を手にドイツの夜を駆ける彼女に、モンスターを束ねる血族の長老たちからある密命が下されて——!?
1. 黄昏の標的《ツイール》　2. 悠久の盾《シルト》　3. 虚構の箱舟《アルシェ》　4. 迷宮の歌姫《ディーバ》
5. 紅涙の弾丸《クーゲル》　6. 別離の嵐《シュトゥルム》　7. 黎明の光冠《クローネ》

角川書店の単行本
陰陽師・安倍晴明
その冥《ら》がりに、華の咲く
結城光流
装画 あさぎ桜
「陰陽師・安倍晴明」シリーズ累計10万部突破!!
好評発売中!!
この男、人か魔か。
結城光流が放つ新鋭・安倍晴明伝!!
人と化生のあいだに生まれた陰陽師・安倍晴明。
神の末席である十二神将を式神に下した晴明は、神将たちを
奪って名を上げようとする陰陽師から襲撃を受け――!?
四六判 ソフトカバー 定価:本体1300円(税別)